Developing Chinese

第二版
2nd Edition

Elementary Speaking Course
初级口语
(II)

王淑红 么书君 严禔 张葳 编著
严禔 插图

北京语言大学出版社
BEIJING LANGUAGE AND CULTURE UNIVERSITY PRESS

Developing Chinese

第二版
2nd Edition

编写委员会

主　编: 李　泉
副主编: 么书君　张　健
编　委: 李　泉　么书君　张　健　王淑红　傅　由　蔡永强

编辑委员会

主　任: 戚德祥
副主任: 张　健　王亚莉　陈维昌
成　员: 戚德祥　张　健　苗　强　陈维昌　王亚莉
王　轩　于　晶　李　炜　黄　英　李　超

总前言

《发展汉语》（第二版）为普通高等教育“十一五”国家级规划教材。为保证本版编修的质量和效率，特成立教材编写委员会和教材编辑委员会。编辑委员会广泛收集全国各地使用者对初版《发展汉语》的使用意见和建议，编写委员会据此并结合近年来海内外第二语言教学新的理论和理念，以及对外汉语教学和教材理论与实践的新发展，制定了全套教材和各系列及各册教材的编写方案。编写委员会组织全体编者，对所有教材进行了全面更新。

适用对象

《发展汉语》（第二版）主要供来华学习汉语的长期进修生使用，可满足初（含零起点）、中、高各层次主干课程的教学需要。其中，初、中、高各层次的教材也可供汉语言专业本科教学选用，亦可供海内外相关的培训课程及汉语自学者选用。

结构规模

《发展汉语》（第二版）采取综合语言能力培养与专项语言技能训练相结合的外语教学及教材编写模式。全套教材分为三个层级、五个系列，即纵向分为初、中、高三个层级，横向分为综合、口语、听力、阅读、写作五个系列。其中，综合系列为主干教材，口语、听力、阅读、写作系列为配套教材。

全套教材共28册，包括：初级综合（Ⅰ、Ⅱ）、中级综合（Ⅰ、Ⅱ）、高级综合（Ⅰ、Ⅱ），初级口语（Ⅰ、Ⅱ）、中级口语（Ⅰ、Ⅱ）、高级口语（Ⅰ、Ⅱ），初级听力（Ⅰ、Ⅱ）、中级听力（Ⅰ、Ⅱ）、高级听力（Ⅰ、Ⅱ），初级读写（Ⅰ、Ⅱ），中级阅读（Ⅰ、Ⅱ）、高级阅读（Ⅰ、Ⅱ），中级写作（Ⅰ、Ⅱ）、高级写作（Ⅰ、Ⅱ）。其中，每一册听力教材均分为“文本与答案”和“练习与活动”两本；初级读写（Ⅰ、Ⅱ）为本版补编，承担初级阅读和初级写话双重功能。

编写理念

“发展”是本套教材的核心理念。发展蕴含由少到多、由简单到复杂、由生疏到熟练、由模仿、创造到自如运用。“发展汉语”寓意发展学习者的汉语知识，发展学习者对汉语的领悟能力，发展学习者的汉语交际能力，发展学习者的汉语学习能力，不断拓展和深化学习者对当代中国社会及历史文化的了解范围和理解能力，不断增强学习者的跨文化交际能力。

“集成、多元、创新”是本套教材的基本理念。集成即对语言要素、语言知识、文化知识以及汉语听、说、读、写能力的系统整合与综合；多元即对教学法、教学理论、教学大纲以及教学材料、训练方式和手段的兼容并包；创新即在遵循汉语作为外语或第二语言教学规律、继承既往成熟的教学经验、汲取新的教学和教材编写研究成果的基础上，对各系列教材进行整体和局部的特色设计。

教材目标

总体目标：全面发展和提高学习者的汉语语言能力、汉语交际能力、汉语综合运用能力和汉语学习兴趣、汉语学习能力。

具体目标：通过规范的汉语、汉字知识及其相关文化知识的教学，以及科学而系统的听、说、读、写等语言技能训练，全面培养和提高学习者对汉语要素（语音、汉字、词汇、语法）形式与意义的辨别和组配能力，在具体文本、语境和社会文化规约中准确接收和输出汉语信息的能力，运用汉语进行适合话语情境和语篇特征的口头和书面表达能力；借助教材内容及其教学实施，不断强化学习者汉语学习动机和自主学习的能力。

编写原则

为实现本套教材的编写理念、总体目标及具体目标，特确定如下编写原则：

（1）课文编选上，遵循第二语言教材编写的针对性、科学性、实用性、趣味性等核心原则，以便更好地提升教材的质量和水平，确保教材的示范性、可学性。

（2）内容编排上，遵循第二语言教材编写由易到难、急用先学、循序渐进、重复再现等通用原则，并特别采取“小步快走”的编写原则，避免长对话、长篇幅的课文，所有课文均有相应的字数限制，以确保教材好教易学，增强学习者的成就感。

（3）结构模式上，教材内容的编写、范文的选择和练习的设计等，总体上注重“语言结构、语言功能、交际情境、文化因素、活动任务”的融合、组配与照应；同时注重话题和场景、范文和语体的丰富性和多样化，以便全面培养学习者语言理解能力和语言交际能力。

（4）语言知识上，遵循汉语规律、汉语教学规律和汉语学习规律，广泛吸收汉语本体研究、汉语教学研究和汉语习得研究的科学成果，以确保知识呈现恰当，诠释准确。

（5）技能训练上，遵循口语、听力、阅读、写作等单项技能和综合技能训练教材的编写规律，充分凸显各自的目标和特点，同时注重听说、读说、读写等语言技能的联合训练，以便更好地发挥“综合语言能力 + 专项语言技能”训练模式的优势。

（6）配套关联上，发挥系列配套教材的优势，注重同一层级不同系列平行或相邻课文之间，在话题内容、谈论角度、语体语域、词汇语法、训练内容与方式等方面的协调、照应、转换、复现、拓展与深化等，以便更好地发挥教材的集成特点，形成“共振”合力，便于学习者综合语言能力的养成。

（7）教学标准上，以现行各类大纲、标准和课程规范等为参照依据，制订各系列教材语言要素、话题内容、功能意念、情景场所、交际任务、文化项目等大纲，以增强教材的科学性、规范性和实用性。

实施重点

为体现本套教材的编写理念和编写原则，实现教材编写的总体目标和具体目标，全套教材突出了以下实施重点：

（1）系统呈现汉语实用语法、汉语基本词汇、汉字知识、常用汉字；凸显汉语语素、语段、语篇教学；重视语言要素的语用教学、语言项目的功能教学；多方面呈现汉语口语语体和书面语体的特点及其层次。

（2）课文内容、文化内容今古兼顾，以今为主，全方位展现当代中国社会生活；有针对性地融入与学习者理解和运用汉语密切相关的知识文化和交际文化，并予以恰当的诠释。

（3）探索不同语言技能的科学训练体系，突出语言技能的单项、双项和综合训练；在语言要素学习、课文读解、语言点讲练、练习活动设计、任务布置等各个环节中，凸显语言能力教学和语言应用能力训练的核心地位。并通过各种练习和活动，将语言学习与语言实践、课内学习与课外习得、课堂教学与目的语环境联系起来、结合起来。

（4）采取语言要素和课文内容消化理解型练习、深化拓展型练习以及自主应用型练习相结合的训练体系。几乎所有练习的篇幅都超过该课总篇幅的一半以上，有的达到了2/3的篇幅；同时，为便于学习者准确地理解、掌握和恰当地输出，许多练习都给出了交际框架、示例、简图、图片、背景材料、任务要求等，以便更好地发挥练习的实际效用。

（5）广泛参考《汉语水平等级标准与语法等级大纲》（1996）、《汉语水平词汇与汉字等级大纲》（2001）、《高等学校外国留学生汉语言专业教学大纲》（2002）、《国际汉语教学通用课程大纲》（2008）、《欧洲语言共同参考框架：学习、教学、评估》（中译本，2008）、《新汉语水平考试大纲（HSK1-6级）》（2009-2010）等各类大纲和标准，借鉴其相关成果和理念，为语言要素层级确定和选择、语言能力要求的确定、教学话题及其内容选择、文化题材及其学习任务建构等提供依据。

（6）依据《高等学校外国留学生汉语教学大纲（长期进修）》（2002），为本套教材编写设计了词汇大纲编写软件，用来筛选、区分和确认各等级词汇，控制每课的词汇总量和超级词、超纲词数量。在实施过程中充分依据但不拘泥于“长期进修”大纲，而是参考其他各类大纲并结合语言生活实际，广泛吸收了诸如“手机、短信、邮件、上网、自助餐、超市、矿泉水、物业、春运、打工、打折、打包、酒吧、客户、密码、刷卡”等当代中国社会生活中已然十分常见的词语，以体现教材的时代性和实用性。

基本定性

《发展汉语》（第二版）是一个按照语言技能综合训练与分技能训练相结合的教学模式编写而成的大型汉语教学和学习平台。整套教材在语体和语域的多样性、语言要素和语言知识及语言技能训练的系统性和针对性，在反映当代中国丰富多彩的社会生活、展现中国文化的多元与包容等方面，都做出了新的努力和尝试。

《发展汉语》（第二版）是一套听、说、读、写与综合横向配套，初、中、高纵向延伸的、完整的大型汉语系列配套教材。全套教材在共同的编写理念、编写目标和编写原则指导下，按照统一而又有区别的要求同步编写而成。不同系列和同一系列不同层级分工合作、相互协调、纵横照应。其体制和规模在目前已出版的国际汉语教材中尚不多见。

特别感谢

感谢国家教育部将《发展汉语》（第二版）列入国家级规划教材，为我们教材编写增添了动力和责任感。感谢编写委员会、编辑委员会和所有编者高度的敬业精神、精益求精的编写态度，以及所投入的热情和精力、付出的心血与智慧。其中，编写委员会负责整套教材及各系列教材的规划、设计与编写协调，并先后召开几十次讨论会，对每册教材的课文编写、范文遴选、体例安排、注释说明、练习设计等，进行全方位的评估、讨论和审定。

感谢中国人民大学么书君教授和北京语言大学出版社张健副社长为整套教材编写作出的特别而重要的贡献。感谢北京语言大学出版社戚德祥社长对教材编写和编辑工作的有力支持。感谢关注本套教材并贡献宝贵意见的对外汉语教学界专家和全国各地的同行。

特别期待

○ 把汉语当做交际工具而不是知识体系来教、来学。坚信语言技能的训练和获得才是最根本、最重要的。

○ 鼓励自己喜欢每一本教材及每一课书。教师肯于花时间剖析教材，谋划教法。学习者肯于花时间体认、记忆并积极主动运用所学教材的内容。坚信满怀激情地教和饶有兴趣地学会带来丰厚的回馈。

○ 教师既能认真“教教材”，也能发挥才智弥补教材的局限与不足，创造性地“用教材教语言”，而不是“死教教材”、“只教教材”，并坚信教材不过是教语言的材料和工具。

○ 学习者既能认真“学教材”，也能积极主动“用教材学语言”，而不是“死学教材”、“只学教材”，并坚信掌握一种语言既需要通过课本来学习语言，也需要在社会中体验和习得语言，语言学习乃终生之大事。

李　泉

编写说明

适用对象

《发展汉语·初级口语》(Ⅱ)与《发展汉语·初级口语》(Ⅰ)相衔接，适合掌握了汉语最基本的句型和1000-1200个最常用的汉语词汇，具备与个人及日常生活密切相关的最基本的汉语交际能力的学习者使用。

教材目标

本教材以训练和提高初级阶段汉语学习者的口头交际能力为宗旨。学完本教材，学习者可达到：

(1)能熟练地进行自我介绍，能表达自己的一般意愿，能介绍他人的一般情况。

(2)掌握与初级口语交际相关的功能项目和口语表达方式，并能熟练地加以运用。

(3)具备初步的汉语口语交际策略和交际技能，能逐渐将运用范围由课堂转向日常生活。

(4)能用汉语解决与学习及日常生活密切相关的问题，能就日常生活中非常熟悉的话题与他人沟通。

特色追求

(1)内容注重实用性

本册课文均由与学习者密切相关的课堂学习和日常生活场景构成，课文内容注重语言、场景的真实。功能句为日常生活中的常用句式，真实、上口，学了就能用。

(2)编排注重科学性

本册语法知识参照《发展汉语·初级综合》(Ⅱ)的教学进度，词汇的选择着重考虑口语常用性，并注重复现。练习体系中，理解型练习、机械型练习、交际型练习及任务型练习依次排列，相互照应。其中："边学边练""大声读一读"为理解型练习，要求学习者在对相关内容深入理解的前提下，实现对相关汉语句式的认知、记忆，并在模仿与活用的基础上，提高汉语口语能力；"替换词语说句子"是基础汉语学习阶段必不可少的机械型练习，为脱口而出奠定语言基础；"完成对话""复习与表达"为交际型练习，意在提高学习者的口语表达能力，并为成段表达奠定基础；"小组活动""挑战自我"为任务型练习，意在拓展学习者的汉语学习能力。

(3)练习注重可操作性

本教材练习设计的宗旨是，通过合理的场景设置，将词语练习、句式表达、功能运用有机地结合在一起，让学习者在真实或尽量真实的交际情景中灵活运用所学内容。鉴于本教材使用者为汉语初学者，具体到每一课的每一项练习，都充分考虑练习的难易程度以及课堂教学的可操作性，对某些任务型练习特别设计了具有难易梯度的练习形式，以增强学习者的学习兴趣、参与意识和表达意愿。在交际活动中，学习、理解、模仿和运用所学词语、句式和功能项目，实现在"做"中"学"的教学目标，进而增强学习者的信心和成就感。

使用建议

（1）本册共23课，建议每课用4课时完成。

（2）教材的体例安排基本与课堂教学环节相吻合。教师可根据教学内容，适当安排学生走出课堂，利用所学的语言内容和交际知识完成具体的语言任务。

（3）与《发展汉语 · 初级口语》（Ⅰ）相比，交际型练习、任务型练习有所加强，但是在本教材所涉及的学习阶段，练习体系中的各种练习都是重要且不可或缺的。

（4）"挑战自我"是拓展型练习，包括两部分内容。一是词语扩展任务，可培养学生按语素、按结构、按语义类型扩展词汇的能力，教师应在课上带领学生完成；二是交际任务，意在引导学生走入目的语社会，充分利用汉语环境，教学中可根据具体任务，适当安排任务前的准备辅导和任务后的课堂交流，以便更好地发挥本环节应有的作用。

（5）每课课后的"这些话，我能脱口而出"，供学习者记录每课最有用的功能句，借以提升学习者的口头表达能力，增强其自主学习的意识和能力。记录实用功能句，可用汉字也可用拼音，教师可适当加以指点和引导。

特别期待

◎ 认真预习和复习，记住有用的句子。

◎ 坚信"保持沉默"绝对学不好口语。

◎ 坚信"多问多说"才能学好口语。

◎ 自主学习，寻找一切机会跟中国人说汉语。

◇ 结合教学内容不断激发学习者的表达欲望。

◇ 坚信只要学习者用汉语说就是口语的进步。

◇ 帮助学习者把话说下去，而不是忙于纠正言语偏误。

◇ 不断营造适合学习者表达的和谐氛围，而不是忙于讲解。

特别感谢

本册插图由严禔完成，特致谢忱。

《发展汉语》（第二版）编写委员会及本册编者

目录 Contents

语法术语及缩略形式参照表
Abbreviations of Grammar Terms

Grammar Terms in Chinese	Grammar Terms in *pinyin*	Grammar Terms in English	Abbreviations
名词	míngcí	noun	n. / 名
代词	dàicí	pronoun	pron. / 代
数词	shùcí	numeral	num. / 数
量词	liàngcí	measure word	m. / 量
动词	dòngcí	verb	v. / 动
助动词	zhùdòngcí	auxiliary	aux. / 助动
形容词	xíngróngcí	adjective	adj. / 形
副词	fùcí	adverb	adv. / 副
介词	jiècí	preposition	prep. / 介
连词	liáncí	conjunction	conj. / 连
助词	zhùcí	particle	part. / 助
拟声词	nǐshēngcí	onomatopoeia	onom. / 拟声
叹词	tàncí	interjection	int. / 叹
前缀	qiánzhuì	prefix	pref. / 前缀
后缀	hòuzhuì	suffix	suf. / 后缀
成语	chéngyǔ	idiom	idm. / 成
主语	zhǔyǔ	subject	S
谓语	wèiyǔ	predicate	P
宾语	bīnyǔ	object	O
补语	bǔyǔ	complement	C
动宾结构	dòngbīn jiégòu	verb-object	VO
动补结构	dòngbǔ jiégòu	verb-complement	VC
动词短语	dòngcí duǎnyǔ	verbal phrase	VP
形容词短语	xíngróngcí duǎnyǔ	adjectival phrase	AP

学习指南 Guide to the Use of This Book

课数 Lesson	功能项 Functional Items
1	1. 打招呼、问候 To exchange greetings 2. 吃惊、意外 To express shock or surprise 3. 请求、要求 To request or require
2	1. 不满意 To express dissatisfaction 2. 建议 To give a suggestion 3. 说明 To make an explanation 4. 评价 To make a comment
3	1. 商量 To have a discussion 2. 称赞 To make a compliment 3. 说明 To tell about something 4. 接受 To accept an idea
4	1. 邀请 To make an invitation 2. 拒绝 To turn down an invitation 3. 列举 To enumerate items
5	1. 介绍 To introduce someone 2. 邀请 To make an invitation 3. 引起注意 To call one's attention 4. 服从 To obey
6	1. 讨厌 To express dislike 2. 评价 To make a comment 3. 同意 To express agreement 4. 纠正 To correct something wrong
7	1. 自我介绍 To introduce oneself 2. 询问联系方式、询问时间 To ask for contact information or length of time 3. 请求 To make a request
8	1. 转述 To relate something as told by another person 2. 喜欢、爱/不喜欢 To express fondness, love and dislike 3. 后悔 To express regret

课数 Lesson	功能项 Functional Items
9	1. 吃惊 To express shock 2. 关心 To show concern 3. 无奈 To express helplessness 4. 同意 To express agreement
10	1. 比较 To make a comparison 2. 问路 To ask the way 3. 提醒 To remind someone of something
11	1. 询问原因或理由 To ask for the cause or reason 2. 关心 To show concern 3. 比较 To make a comparison
12	1. 羡慕 To show envy 2. 比较 To make a comparison 3. 估计 To make an estimation
13	1. 说明、解释 To illustrate or explain something 2. 吃惊、意外 To express shock or surprise 3. 怀疑 To express doubt
14	1. 估计 To make an estimation 2. 排除 To exclude something 3. 表达某种程度 To express a certain degree 4. 补充说明 To make additional remarks
15	1. 选择 To indicate choices 2. 领悟、明白 To express comprehension or understanding 3. 解释、说明 To explain or expound something
16	1. 判断 To make a judgement 2. 说明 To tell about something 3. 安慰 To console someone
17	1. 同意 To express agreement 2. 担心 To express worry 3. 解释 To make an explanation 4. 拒绝 To reject

课数 Lesson	功能项 Functional Items
18	1. 转述 To relate something as told by another person 2. 描述 To make a description 3. 比较 To make a comparison
19	1. 列举 To enumerate items 2. 条件 To name a condition 3. 希望 To express a hope
20	1. 提醒 To remind someone of something 2. 庆幸 To rejoice at one's luckiness 3. 列举 To enumerate items
21	1. 开始话题 To start a topic 2. 反对、不赞成 To express objection or disagreement 3. 报告 To give a report 4. 解释 To make an explanation
22	1. 建议 To give a suggestion 2. 解释、说明 To explain or expound something 3. 请对方做某事 To ask someone to do something
23	1. 感谢 To express gratefulness 2. 接受 To accept an idea 3. 描述 To make a description

我哪儿都没去过

I haven't been to anywhere

跟我读，学生词（一） 01

New Words I

1.	嘿	hēi	*int.*	(*used to express surprise or to call one's attention*) hey
2.	好久	hǎojiǔ	*adj.*	for a long time
	好	hǎo	*adv.*	very, quite, so
3.	参加	cānjiā	*v.*	take part in, attend
4.	培训	péixùn	*v.*	train
5.	刚	gāng	*adv.*	just
6.	对了	duì le		by the way
7.	申请	shēnqǐng	*v.*	apply for
8.	后来	hòulái	*n.*	later, afterwards
9.	让	ràng	*v.*	let, allow, make
10.	联系	liánxì	*v.*	contact, get in touch with
11.	见面	jiànmiàn	*v.*	meet
12.	哪儿	nǎr	*pron.*	wherever, anywhere

课文（一） 02

Text I

（友美在路上遇到好朋友铃木）

友美：嘿，这不是铃木吗？你什么时候也来北京了？

铃木：友美，好久不见。我来参加汉语培训，前天刚到。

友美：真没想到在这儿看见你。来北京培训多长时间？

铃木：一共三个月，在北京两个月，香港一个月。

友美：对了，我来的时候，你妹妹也在申请来中国，后来怎么样了？

铃木：她现在在西安学习汉语，昨天打电话，她还让我跟你联系呢。

友美：真的吗？我和她也很长时间没见面了。

铃木：哎，你去过西安吗？

友美：还没有，来了这么长时间，每天都在上课，我哪儿都没去过。

铃木：那咱们找机会一起去吧。

友美：好啊。

边学边练 *Practice to learn*

1. 友美知道铃木来北京吗？ ________________
2. 友美认识铃木的妹妹吗？ ________________
3. 铃木来北京做什么？ ________________
4. 友美去过什么地方？ ________________

跟我读，学生词（二） 03

New Words II

1.	习惯	xíguàn	*v.*	be used to
2.	生活	shēnghuó	*v.*	live
3.	什么	shénme	*pron.*	*used to refer to things in general*
4.	导游	dǎoyóu	*n.*	tour guide, guide
5.	带	dài	*v.*	take, lead
6.	好好儿	hǎohāor	*adv.*	all out, to one's heart's content
7.	事	shì	*n.*	matter, business
8.	的话	dehuà	*part.*	*used at the end of a conditional clause*
9.	陪	péi	*v.*	accompany
10.	充电器	chōngdiànqì	*n.*	battery charger
11.	电池	diànchí	*n.*	battery

12. 熟悉	shúxī	*v.*	be familiar with
13. 得	děi	*aux.*	must, have to
14. 转	zhuàn	*v.*	stroll, get around

课文（二） 04

Text II

（友美和铃木在路上聊天儿）

友美：你妹妹在西安怎么样？对那儿习惯了吗？

铃木：她说已经习惯了，学习啊、生活啊，什么都很方便，她很喜欢西安。

友美：真想去看看她。

铃木：可以啊，我们一起去，让我妹妹做咱们的导游。

友美：对，让她带我们好好儿玩儿玩儿。

铃木：没问题。哎，你现在有事吗？

友美：怎么，你现在就要去吗？

铃木：不是。要是你没事的话，能陪我去买东西吗？

友美：可以啊，你打算买什么？

铃木：吃的、用的，什么都要买。最重要的是先买充电器和电池。

友美：那我们去超市吧。

铃木：好啊。我哪儿都不认识，什么地方都不熟悉。你得带我好好儿转转。

友美：好，我先做你的导游吧。

边学边练 *Practice to learn*

1. 铃木的妹妹现在怎么样？ ____________________
2. 友美和铃木有什么打算？ ____________________
3. 铃木现在要做什么？ ____________________
4. 铃木对这里熟悉吗？ ____________________

功能句
Functional Sentences

【打招呼、问候】 To exchange greetings

1. 嘿，这不是……吗？
2. 嘿，老张！
3. 好久不见。 - long time no see
4. 你最近怎么样？ - How have you been recently?
   zuìjìn
5. A：你现在习惯了吗？ - Are you used to it now?
   xíguàn
   B：已经习惯了。 - Already used to it
   yǐjīng

【吃惊、意外】 To express shock or surprise

1. 真没想到在这儿看见你。
2. 真的吗？

【请求、要求】 To request or require

1. 让她做我们的导游，带我们好好儿玩儿玩儿。
2. 要是你没事的话，能陪我去买东西吗？
3. 你有时间的话，陪我去超市吧！
4. 你得带我好好儿转转。

课堂活动与练习
Classroom Activities and Exercises

一、语音练习 *Pronunciation*

一年之计在于春，一日之计在于晨。
Yì nián zhī jì zàiyú chūn, yí rì zhī jì zàiyú chén.

赢 yíng win 我们赢了 比赛赢了

准备 zhǔnbèi	prepare	准备考试	准备好了吗？
封 fēng	*a measure word for letters, etc.*	一封邮件	一封信（xìn, letter）
这里 zhèlǐ	here	喜欢这里	来过这里
那里 nàlǐ	there	知道那里	习惯那里的生活

二、大声读一读 *Read aloud*

词语 Words	例子 Examples	请你给出更多例子 More examples
好	好久 好多 好忙啊	
刚	刚听说 刚认识一两天 刚学了半年 刚去过上海	
哪儿	我哪儿都想去。 他哪儿都熟悉。 我哪儿都没去过。	
好好儿	好好儿想想 好好儿学习	
的话	你不去的话，我自己去。 要是可以的话，我也试试。	
得（děi）	你得参加 你得自己去 我们得好好儿工作。	

三、替换词语说句子 *Substitution drills*

1. 这不是铃木吗？

那	姚明
这	地铁站
那	马丁的书
今天	考试
下午	没有课

2. A：真没想到在这儿看见你。
   B：我也没想到。

他也来了
面试这么容易
这个电影这么有意思
看广告也能学汉语
今天的比赛他们赢了

3. A：下午李雪给你打电话了，你不在。
   B：哦，她说什么？
   A：她让你给她回电话。

帮她修电脑
帮她买一本书
明天早上7点在车站等她
帮她找一个语伴

4. A：你想去哪儿玩儿？
   B：去哪儿都行。

去	买
坐	吃
在	见面
到	旅行

5. A：他认识那里吗？
   B：当然，他什么地方都认识。

知道这里	什么地方	知道
参加这个培训	什么培训	参加
今天下午有时间	什么时候	有时间
喜欢看这个电影	什么电影	喜欢看

6. A：要是你没事的话，咱们一起去买东西吧。
   B：太好了，我正想去商店呢。

你有时间	去旅行	想去旅行
可以	一起参加汉语比赛	准备
你高兴	一起租房子	找人
可以	骑自行车去	想骑车去

7. A：你能陪我去买东西吗？
B：对不起，要是有时间的话，我一定去。
A：没关系。

逛公园
去买书
去办手续
去修电脑

四、练一练：完成对话 *Complete the following dialogues*

1. A：这不是铃木吗？你好啊！
B：友美！________________了。
A：是啊，我们一年没见了。
B：时间________________。
［好久不见　过得……］

2. A：嘿，这不是铃木吗？
B：友美？________________。
A：你怎么来上海了？
B：________________。
A：见到你真高兴。
［没想到　培训］

3. A：________________给你打电话，你不在。
B：是吗？他说什么？
A：________________。
B：好的，我现在就给他打电话。
［刚才　让］

4. A：________________？
B：已经习惯了，我很喜欢这里。
A：你都去了什么地方？
B：我太忙了，________________。
［习惯　哪儿］

5. A：我对这儿不熟悉，________________？
B：当然可以，你想什么时候去？

A：________________。

B：要是方便的话，________________。

A：好，那我们就现在去吧。 [陪 什么时候 我们]

6. A：你什么时候参加考试？

B：下星期一。

A：________________，________________。

B：我知道，我一定好好儿准备。 [重要 得（děi） 好好儿]

7. A：你对这个地方熟悉吗？

B：我不太熟悉，我朋友特别熟悉。

A：能________________？

B：没问题，我让他做你们的导游。 [让 导游]

五、小组活动 *Group work*

读后说一说 Read the following email and talk about it.

发件人 From	阿龙
收件人 To	×××
抄送 Cc	
主题 Subject	好久不见
附件 Attached file	

×××：

你最近好吗？

很长时间没联系了，你怎么样？听说你现在在中国，对那里的生活习惯吗？有没有很多新朋友？你以前很喜欢旅行，中国有那么多名胜古迹，你是不是去了很多地方？我和朋友们都很想你，跟我们说说你在中国的生活吧。

你的朋友 阿龙

任务一：大声读一读这封电子邮件。

Task 1: Read this email aloud.

任务二：说一说你的回信都打算写些什么。

Task 2: Talk about what you're going to write in your reply.

六、复习与表达 *Review and presentation*

1. 双人对话 Pair work: Make dialogues.

A	B
好久不见。	
	啊，××！真没想到在这儿看见你。
你对这里习惯了吗？	
	谢谢，我马上跟他联系。
你最近跟他有联系吗？	
	不熟悉，我也没去过那个地方。
他申请了那个工作，后来怎么样了？	
你熟悉这里，你得做我们的导游。	
	好，我现在没事，我陪你去。
这些地方你都去过吗？	
有问题我可以去问您吗？	

2. 课堂展示 Presentation

角色扮演 Role-play

（1）两个人不认识，参加培训时第一天见面。

（2）两个人都是李雪的朋友，在李雪家的晚会上第一次见面。

（3）两个人只见过一次面，可是不太熟悉，现在又见面了。

（4）两个人是好朋友，很长时间没见面了，旅行时在一个地方碰见了。

参考词语和句式

认识　　这不是……吗　　好久　　没想到

联系　　见面　　名片

挑战自我
Challenge Yourself

一、词语扩展任务 *Vocabulary building task*

仿照例子做扩展练习。

Read aloud and do the exercises following the examples.

练习一

熟悉	我跟她不熟悉。　　我们不太熟悉。 熟悉一下环境　　熟悉熟悉课文 学校的环境我已经熟悉了。 我们在一块儿工作了一个月，还没熟悉，他就去别的公司了。
联系	（Try to use “联系” with “没”，“不”，“跟 / 和”，“过”，“了”，“好” and “一下” or to use its reduplicate form）

练习二

见面	在门口见面　　跟同学见面　　3点钟跟她在这儿见面 在哪儿见面　　见面的地点在哪儿　　什么时候见面 见过面　　没见过面　　听说过，但没见过面。 有时间见个面吧。　　见了一次面　　见过几次面 周末我会跟朋友见见面，聊聊天儿，听听音乐，喝喝咖啡。
睡觉	（Try to use "睡觉" with "没"，"不"，"过"，"了"，"一会儿" and "个" or to use its reduplicate form）
散步	（Try to use "散步" with "没"，"不"，"跟 / 和"，"过"，"了"，"一次"，"几次"，"一会儿" and "个" or to use its reduplicate form）

二、交际任务　*Communicative task*

小调查：调查一下你的朋友们来中国多长时间了，对中国的生活习惯了吗，喜欢什么，对什么还不习惯。

Survey: Make a survey about how long your friends have been in China, if they have got used to the life here, what they like and what they are not used to yet.

朋友（国家）	来中国的时间	喜欢……	不习惯……

这些话，我能脱口而出

2 晚上早点儿睡

Go to bed early at night

跟我读，学生词（一） 06

New Words I

1.	问题	wèntí	*n.*	question, problem
2.	运动会	yùndònghuì	*n.*	sports meeting, sports games
3.	通知	tōngzhī	*v.*	notify
4.	集合	jíhé	*v.*	assemble, gather
5.	早	zǎo	*adj.*	early
6.	建议	jiànyì	*v.*	suggest, advise
7.	（一）点儿	(yì)diǎnr		a little, a bit
8.	入乡随俗	rù xiāng suí sú	*idm.*	When in Rome, do as the Romans do.
9.	意思	yìsi	*n.*	meaning
10.	成语	chéngyǔ	*n.*	idiom, set phrase
11.	遵守	zūnshǒu	*v.*	observe, abide by
12.	风俗	fēngsú	*n.*	social custom
13.	有用	yǒuyòng	*adj.*	useful, valuable
14.	记住	jìzhù		remember, learn by heart
	记	jì	*v.*	remember, bear in mind

课文（一） 07

Text I

入乡随俗

（杰森和汉娜聊天儿）

杰森：汉娜，我想问一个问题，可以吗？

汉娜：当然可以，什么问题，你说吧。

杰森：明天开运动会，老师通知大家，早上7点在操场集合，为什么这么早啊？

汉娜：早吗？中国人都习惯早睡早起。

杰森：现在每天8点就上课，太早了，我早上特别不想起床。

汉娜：中国的学校，都是8点上课。我建议你晚上早点儿睡，早睡就能早起。

杰森：为什么不能晚一点儿上课呢？

汉娜：我看你呀，还是入乡随俗吧。我刚来的时候也不习惯。在中国生活了半年，觉得早睡早起也不错。

杰森：入乡随俗？“入乡随俗”是什么意思？

汉娜：这是汉语的一个成语，意思是，到什么地方，就要遵守那儿的风俗习惯。

杰森：哦，入乡随俗，这个词有用，我得记住。

边学边练 *Practice to learn*

1. 杰森问汉娜一个什么问题？______
2. 为什么杰森觉得8点上课太早？______
3. 中国人的习惯是什么？______
4. 汉娜给杰森一个什么建议？______
5. 汉娜已经“入乡随俗”了吗？______

跟我读，学生词（二） 08

New Words II

1. 都	dōu	*adv.*	already
2. 告诉	gàosu	*v.*	tell, inform
3. 吸引	xīyǐn	*v.*	attract
4. 挺	tǐng	*adv.*	very, rather
5. 懂	dǒng	*v.*	understand, know
6. 字幕	zìmù	*n.*	subtitle, caption
7. 别	bié	*adv.*	don't, had better not

8. 叫	jiào	*v.*	call, ask
9. 不过	búguò	*conj.*	but, however
10. 怕	pà	*v.*	fear, be afraid
11. 熬夜	áoyè	*v.*	stay up late or all night
12. 偶尔	ǒu'ěr	*adv.*	once in a while, occasionally

课文（二） 09

Text II

（大家在运动场上集合，杰森来晚了）

汉娜：你怎么才来啊？都七点一刻了。

杰森：没关系，就晚了一会儿。

汉娜：昨天不是告诉你了吗？要早点儿睡觉。

杰森：昨天晚上，我和同屋看电影，快两点才睡。

汉娜：快两点才睡？太晚了。什么电影这么吸引人？

杰森：是一个中国电影，挺不错的。

汉娜：中国电影？能听懂吗？

杰森：一边听，一边看字幕，差不多都能懂。

汉娜：你的汉语进步得真快。对了，下次有好电影，别忘了叫我一起看。

杰森：好啊，不过，就怕你不能熬夜。

汉娜：偶尔一两次，没问题。

边学边练 *Practice to learn*

1. 杰森为什么来晚了？ ____________________
2. 杰森怎么看中国电影？ ____________________
3. 汉娜也想做什么？ ____________________
4. 汉娜能熬夜吗？ ____________________

功能句
Functional Sentences

【不满意】 To express dissatisfaction

1. 太早了。
2. 太贵了。
3. 你怎么才来？都七点一刻了。
4. 昨天不是告诉你了吗？要早点儿睡觉。

【建议】 To give a suggestion

1. 我建议你晚上早点儿睡。
2. 我看你呀，还是入乡随俗吧。
3. 我看你还是先打个电话问问吧。

【说明】 To make an explanation

1. “入乡随俗”是汉语的一个成语。
2. “入乡随俗”的意思是……

【评价】 To make a comment

1. 我觉得早睡早起也不错。
2. 那个电影挺不错的。
3. 你这件衣服挺好看的。

课堂活动与练习
Classroom Activities and Exercises

一、语音练习 *Pronunciation*

千里之行，始于足下。
Qiān lǐ zhī xíng, shǐ yú zú xià.

走　zǒu　walk, leave　　我该走了。　　咱们出去走走吧。

展览	zhǎnlǎn	exhibition	看展览	这个展览挺好的。
票	piào	ticket	一张票	这不是火车票，这是飞机票。
礼物	lǐwù	present, gift	买礼物	这是送给你的礼物。

二、大声读一读 *Read aloud*

词语 / 句式 Words/structures	例子 Examples	请你给出更多例子 More examples
（一）点儿	早（一）点儿睡 多喝（一）点儿水 明天你早（一）点儿来。	
记住	记不住　记得住　能记住一些 记住生词　记住老师的名字	
都	都 12 点了，该睡觉了。 他都 30 岁了，还没有工作。	
告诉	告诉我　让他告诉你吧 告诉你一个好消息	
挺……的	挺有用的　挺吸引人的 他挺喜欢熬夜的。	
别	别看　别说了 以后别熬夜了。	
怕	怕你忘了　怕你记不住 怕你不喜欢　怕你不认识那儿	

三、替换词语说句子 *Substitution drills*

1. 同屋建议我晚上早点儿睡。

妈妈	去中国学汉语
老师	多和中国朋友聊天儿
朋友	好好儿看看这本书
同学	早点儿去医院

2. A：我看你呀，还是入乡随俗吧。

B：好吧，听你的。

别去了
跟我们去旅游吧
好好儿准备考试吧
别画画儿了，学书法吧

3. A：你怎么才来啊？晚会都开始了。

B：对不起，我晚了。

起床	别人	走了
到	大家	等你呢
来	考试	快完了
出来	车	快开了

4. 昨天不是告诉你了吗？晚上早点儿睡。

不能天天熬夜
别忘了带护照
别坐汽车，坐地铁
先问问路怎么走

5. A：对了，下次有好电影别忘了我。

B：好，一定叫你一起去。

你们出去玩儿	去
你们走的时候	走
你们租房子	租
你去看展览	去看

6. A：明天咱们考试，别忘了叫我早点儿起。

B：好，没问题。

去看展览	带上票
去李雪家	带上给她的礼物
有汉语比赛	早点儿去
去银行	换点儿钱

7. A：我也想看电视剧。
B：好啊，不过，就怕你不能熬夜。

去旅游	没时间
看书法展览	没兴趣
看中国电影	看不懂
吃中餐	不习惯

四、练一练：完成对话 *Complete the following dialogues*

1. A：我想问一个问题，可以吗？
B：当然可以，__________________，__________________。
A：为什么咱们每天8点就上课？太早了。
B：不早吧，中国人__________________。 ［问题 习惯］

2. A：汉娜，每天早上我都不想起床，怎么办呀？
B：__________________，早睡就能早起。
A：咱们为什么不能晚一点儿上课呢？
B：我刚开始也不习惯。在中国生活了半年，__________________。
［建议 觉得］

3. A：我不想去吃饭，我对中餐特别不习惯。
B：我看你呀，还是入乡随俗吧。
A：__________________？
B：入乡随俗是汉语的一个成语，意思是，到什么地方，__________________
__________。 ［什么意思 遵守］

4. A：你__________________？大家等你好久了。
B：__________________，我修电脑去了。
A：电脑修好了吗？
B：还没呢，他让我下午去看看。 ［怎么 坏］

5. A：我不是告诉你了吗？9点到，别晚了，你还是晚了。

B：我9点到了，刚才＿＿＿＿＿＿＿＿＿＿。

A：哦，对不起。

B：没关系，我听说＿＿＿＿＿＿＿＿＿＿。

A：我也听说＿＿＿＿＿＿＿＿＿＿。 ［买票　展览　挺好的］

6. A：看什么书呢，这么吸引你？

B：＿＿＿＿＿＿＿＿＿＿。

A：汉语书？能看懂吗？

B：一边查词典，一边看，＿＿＿＿＿＿＿＿＿＿。

A：＿＿＿＿＿＿＿＿＿＿。 ［本　差不多　进步］

7. A：明天星期六，8点不上课，能好好儿睡一觉了。

B：太好了，我＿＿＿＿＿＿＿＿＿＿。

A：对了，你明天去银行，别忘了叫我一起去。

B：好啊，不过，＿＿＿＿＿＿＿＿＿＿。

A：你别上午去了，＿＿＿＿＿＿＿＿＿＿怎么样？

B：下午去也行。 ［晚点儿　怕　下午］

五、小组活动　*Group work*

看表说话　Look at the table and talk about it.

杰森的一天

8:30 am	起床
9:00 am	上课（迟到）
12:30 pm	午饭
3:00 pm	睡觉
9:15 pm	晚饭
1:30 am	睡觉

任务一：说一说杰森的一天。

Task 1: Talk about a day of Jason.

任务二：说一说你对杰森时间安排的看法和建议。

Task 2: What's your opinion about Jason's schedule? Do you have any suggestions for him?

六、复习与表达 *Review and presentation*

1. 双人对话 Pair work: Make dialogues.

A	B
马丁，我想问一个问题，可以吗？	
	早吗？中国人都习惯早睡早起。
“入乡随俗”是什么意思？	
	对不起，我昨天睡得太晚了。
昨天不是告诉你了吗？要早点儿睡觉。	
	一个中国电影。
下次有好电影，别忘了叫我一起看。	
你的汉语进步得真快。	
	一边听，一边看字幕，差不多能懂。
什么电影这么吸引人？	
快两点才睡？太晚了吧？	

2. 课堂展示 Presentation

角色扮演 Role-play

（1）两个人在讨论：早上 8 点上课是不是太早了。

（2）两个人在讨论：哪些词特别有用，应该记住。

（3）两个人见面，A 问 B 为什么来晚了。

（4）A 问 B 怎么能看懂中国电影。

参考词语和句式

觉得　太早了　习惯　早睡早起　有用　记住
才　都　挺……的　一边……一边……

挑战自我
Challenge Yourself

一、词语扩展任务 *Vocabulary building task*

仿照例子做扩展练习。

Read aloud and do the exercises following the examples.

练习一

懂	懂了吗？	懂了	不懂	没懂
	我懂了。	他还不懂。	我还没懂。	
	我听懂了。	你看懂了吗？		
	他的话，我懂了。	我没懂你的意思。	这次我真懂了。	
忘	(Try to use “忘” with “没”, “不”, “了” and “过”)			

练习二

有用	很有用 这个词很有用。 他的建议对我们都有用。 这个东西有用没用？	没有用 你的那些主意太有用了。 “入乡随俗”这个成语对我很有用。 这些书对你有没有用？
没用	（Try to use “没用” with “很”，“了”，“太”，“一点儿” and “对”）	

二、交际任务 *Communicative task*

小调查：找几个不同年龄的朋友问一问，他们的生活习惯是什么样的（如：每天几点起床？几点睡觉？）。再说一说你的看法和建议。

Survey: Ask several friends of different ages about their daily schedules and habits (e.g., when they get up and go to bed), and then give them your opinions and suggestions.

朋友	年龄	生活习惯	你的看法和建议

这些话，我能脱口而出

3 咱们去爬山吧

Let's go mountain climbing

跟我读，学生词（一） 11 

New Words I

1.	越来越	yuè lái yuè		more and more, increasingly
2.	暖和	nuǎnhuo	*adj.*	warm
3.	哎	āi	*int.*	*showing surprise or reminding sb. of sth.*
4.	出去	chūqu	*v.*	exit, go out
5.	开学	kāixué	*v.*	(of a school) open, (of a school term) begin
6.	紧张	jǐnzhāng	*adj.*	tense, intense, strained
7.	复习	fùxí	*v.*	review
8.	努力	nǔlì	*adj.*	hard-working, diligent
9.	如果	rúguǒ	*conj.*	if, in case
10.	爬	pá	*v.*	climb, crawl
11.	山	shān	*n.*	hill, mountain
12.	热	rè	*adj.*	hot
13.	正	zhèng	*adv.*	just, exactly
14.	合适	héshì	*adj.*	suitable, appropriate

课文（一） 12 

Text I

（春天快到了，天气越来越暖和了，友美她们想去爬山）

友美：天气越来越暖和了。

汉娜：是啊，春天快到了。

友美：哎，明天周末，没有课，咱们出去玩儿，好不好？

汉娜：刚开学，学习挺紧张的。别出去了，在家复习吧。

友美：咱们每天都很努力，周末应该休息休息了。

汉娜：好吧，咱们去哪儿呢？

友美：如果天气好，咱们就去爬山；如果天气不好，咱们就去看展览。

汉娜：我刚才看电视了，天气预报说，明天是晴天，最高气温15度。

友美：太好了，不冷也不热，爬山正合适。

汉娜：哎，我们也问问别的同学吧，看谁想去，我们大家一起去。

友美：好主意。

边学边练　*Practice to learn*

1. 最近天气怎么样？ ______________________
2. 友美周末想干什么？ ______________________
3. 汉娜为什么不想去？ ______________________
4. 汉娜为什么又愿意出去玩儿了？ ______________________
5. 周末天气怎么样？干什么好？ ______________________

跟我读，学生词（二） 13

New Words II

1.	门口	ménkǒu	*n.*	entrance, doorway
2.	风景	fēngjǐng	*n.*	scenery, landscape
3.	空气	kōngqì	*n.*	air
4.	愿意	yuànyì	*aux.*	be willing, want
5.	上	shàng	*v.*	*used after a verb to indicate the attainment of a goal or placing sth. in position*
6.	野餐	yěcān	*v.*	picnic
7.	读	dú	*v.*	read
8.	郊外	jiāowài	*n.*	outskirts, suburbs
9.	新鲜	xīnxiān	*adj.*	fresh

10.	优美	yōuměi	*adj.*	beautiful, graceful, fine
11.	地点	dìdiǎn	*n.*	place, site, venue
12.	加	jiā	*v.*	add, plus

课文（二） 14

Text II

友美：我们怎么联系大家呢？打电话？

汉娜：哎，咱们写个通知，贴在宿舍楼门口，怎么样？

友美：行，贴那儿大家都能看见。不过，怎么写呢？

汉娜：就写：周末天气不错，我们打算去爬山，那里风景漂亮，空气好。如果谁愿意参加，请和我们联系。

友美：我们再买一些吃的带上，就可以在那儿野餐了。

汉娜：好，一定有好多同学想去。

友美：对了，还得写上7点在学校门口集合，我们要早一点儿走。

汉娜：写好了，你看，行吗？

友美：你的字越来越漂亮了。我来读一下："通知：大家好，周末我们打算去郊外爬山、野餐，那里有山有水，空气新鲜，风景优美。有愿意参加的朋友，请和我们联系。周末天气：晴，气温15度左右。集合时间：周六早上7点。集合地点：学生公寓门口。"太棒了！

汉娜：我忘了写联系人和电话了。

友美：没关系，加在后边就可以了。

边学边练 *Practice to learn*

1. 她们准备怎么联系大家？ ______________________
2. 她们想把通知贴在哪儿？ ______________________
3. 通知的主要内容是什么？ ______________________
4. 汉娜忘了写什么？ ______________________

功能句
Functional Sentences

【商量】 To have a discussion

1. 明天周末，咱们出去玩儿，好不好？
2. 我们怎么联系大家呢？
3. 咱们写个通知，贴在楼门口，怎么样？
4. 通知写好了，你看，行吗？

【称赞】 To make a compliment

1. 好主意。
2. 你的字越来越漂亮了。
3. 太棒了！

【说明】 To tell about something

1. 天气预报说，明天是晴天，最高气温 15 度。
2. 那里有山有水，空气新鲜，风景优美。
3. 集合时间：周六早上 7 点。
4. 集合地点：学生公寓门口。

【接受】 To accept an idea

1. 好吧，咱们去哪儿呢？
2. 可以，天气不好咱们就去看展览。
3. 行，贴那儿大家都能看见。
4. 好，一定有好多同学想去。

课堂活动与练习
Classroom Activities and Exercises

一、语音练习 *Pronunciation*

有志者，事竟成。
Yǒu zhì zhě, shì jìng chéng.

需要	xūyào	need	需要什么？	他们需要帮助。
胖	pàng	fat, plump	弟弟很胖。	他不胖。
瘦	shòu	thin	妹妹太瘦了。	他最近瘦了。
肥	féi	loose-fitting, fat	衣服太肥了。	有肥点儿的吗？

二、大声读一读 *Read aloud*

词语 / 句式 Words/structures	例子 Examples	请你给出更多例子 More examples
越来越	人越来越多 他的汉语越来越好。	
如果	如果需要帮忙，我帮你。 如果下雨，我就不去了。	
不……也不……	不大也不小　不胖也不瘦 这件衣服不长也不短，正合适。	
哎	哎，这不是铃木吗？ 哎，你的雨伞还在教室呢吧？	

愿意	不愿意　很愿意 他愿意的话，也可以一起来。	
些	一些　这些　那些　有些 有些人不喜欢这些书。	

三、替换词语说句子 *Substitution drills*

1. A：咱们出去玩儿，好不好？
   B：好啊。

我们周末去爬山
咱们去郊外野餐
咱们写个通知告诉大家
你们晚上早点儿睡觉
你以后别熬夜了

2. 天气越来越暖和了。

东西	贵
他的书法	漂亮
风	大
他们的宿舍	干净
出国旅游的人	多

3. 如果天气好，咱们就去爬山；如果天气不好，咱们就去看展览。

葡萄好吃	买葡萄	梨好吃	买梨
下雨	不去	不下雨	去
人多	坐地铁	人少	坐汽车
买到票	看电影	买不到票	逛商店

4. A：明天天气怎么样？

B：不冷也不热，爬山正合适。

这件衣服怎么样	大	小	我穿
我来晚了吧	早	晚	你来得
您看，钱对吗	多	少	这钱
我太胖了吧	胖	瘦	你现在
这件衣服太肥了吧	肥	瘦	他穿

5. 谁愿意参加，请和我们联系。

爬山	请告诉马丁
参加HSK考试	请和李老师联系
学习书法	我可以教
去西安旅游	请和我联系

6. 咱们也问问别的同学，看谁想去，大家一起去。

需要买	大家一起买
想学做饺子	大家一起学
起得早	让他叫咱们
会唱歌	让他教咱们

7. A：我忘了写联系人了。

B：没关系，加在后边就可以了。

名字
我住在哪儿
电话
手机号码
时间

四、练一练：完成对话 *Complete the following dialogues*

1. A：天气越来越冷了。
 B：是啊，________________了。
 A：周末我得去商店买两件衣服。
 B：我也想买呢，________________。 ［冬天 一起］

2. A：星期天我想去爬山，你去吗？
 B：我觉得________________。
 A：你怎么了，是不是病了？
 B：可能________________，也许休息休息就好了。
 ［累 太紧张］

3. A：放假咱们去郊外野餐吧。
 B：好啊，我听说郊外________________，去玩儿的人挺多的。
 A：咱们再问问别的同学吧，________________。
 B：好主意。 ［风景 看谁］

4. A：天气预报说，明天阴天，可能有小雨。
 B：________________。
 A：要是下雨的话，________________？
 B：行。 ［如果 展览］

5. A：我怎么________________？
 B：这是我的名片，上面有电话号码。
 A：哦，还有手机号码。________________？
 B：________________。 ［联系 电子邮件 当然］

6. A：＿＿＿＿＿＿＿＿，明天不开运动会了，下周五开。

B：通知？哪儿有通知啊？

A：就＿＿＿＿＿＿＿＿，你没看见吗？

B：那我得下楼＿＿＿＿＿＿＿＿。 [通知　贴　好好儿]

7. A：友美，明天天气特别好，气温15度左右。

B：＿＿＿＿＿＿＿＿，郊游＿＿＿＿＿＿＿＿。

A：别忘了，7点集合。

B：＿＿＿＿＿＿＿＿？

A：对，是学校门口。 [不……也不……　合适　地点]

五、小组活动　*Group work*

读后说一说　Read the following notice and talk about it.

通　知

天气越来越暖和了，春天正是爬山的好时候，周末我们打算去郊外。那里有山有水，风景优美，空气新鲜。我们可以爬山，可以野餐。有愿意参加的朋友，请和我们联系。

周末天气：晴，气温 15 度左右。

集合时间：周六早上 7 点。

集合地点：学生公寓门口。

联系人：马丁　　手机：15521789999

EMAIL：mading@163.com

任务一：大声读一读这个通知。

Task 1: Read this notice aloud.

任务二：说一说通知的主要内容是什么。

Task 2: Tell what this notice is about.

六、复习与表达 *Review and presentation*

1. 双人对话 Pair work: Make dialogues.

A	B
春天快到了。	
	好吧，咱们去哪儿呢？
快考试了，咱们别去玩儿了，还是在家复习吧。	
	如果下雨，咱们就不爬山了，就去看展览。
明天天气怎么样？	
	好主意。
	咱们给大家发电子邮件，怎么样？
那个地方漂亮吗？	
	早上 7 点集合，太早了吧？
咱们在哪儿集合呀？	
要是能野餐就好了。	

2. 课堂展示 Presentation

角色扮演 Role-play

（1）春天到了，两个人商量，一起去爬山。

（2）周末天气特别好，A 建议周末去郊游，B 建议复习功课，准备考试。

（3）周末天气特别好，两个人想去郊游，商量写个通知，请同学们一起去。

（4）请同学们一起去郊游的通知写好了，A 发现没有集合地点。

参考词语

越来越　一起　不冷也不热　正合适　挺紧张的　别　复习
努力　应该　谁想去　好主意　通知　贴　风景　空气
和我们联系　愿意　集合时间　联系人　集合地点

挑战自我
Challenge Yourself

一、词语扩展任务 *Vocabulary building task*

仿照例子做扩展练习。

Read aloud and do the exercises following the examples.

练习一

外	郊外　门外　屋外　外边
	（列举更多带“外”的词语　Try to give more words or phrases with “外”）

爬山　游泳　操场
（列举更多与运动相关的词语　Try to give more words or phrases related to sports）

练习二

合适	很合适　不合适　合适不合适 不太合适　有点儿不合适　一点儿也不合适 对我很合适　这件衣服你穿正合适。 这儿没有合适的，以后再买吧。
紧张	（Try to use “紧张” with “没”，“不”，“了”，“太”，“有点儿” and “一点儿”）

二、交际任务 *Communicative task*

小调查：了解这个周末的天气，调查几个朋友，看他们的周末准备怎么过。

Survey: Check the weather of this weekend and ask your friends about their plans for the weekend.

周末的天气	朋友	准备做什么

这些话，我能脱口而出

我帮你拿上去吧

Let me help you take them upstairs

跟我读，学生词（一） 16

New Words I

1.	请	qǐng	*v.*	invite, ask
2.	几	jǐ	*num.*	several, a few, some
3.	酒	jiǔ	*n.*	wine, liquor
4.	花	huā	*n.*	flower
5.	零食	língshí	*n.*	snack
6.	上去	shàngqu	*v.*	go up
7.	电梯	diàntī	*n.*	elevator, lift
8.	管理员	guǎnlǐyuán	*n.*	attendant, custodian, warden
	管理	guǎnlǐ	*v.*	manage, administer, run
	员	yuán	*suf.*	person engaged in a certain field
9.	下来	xiàlai	*v.*	come down
10.	空（儿）	kòng(r)	*n.*	free or spare time
11.	过来	guòlai	*v.*	come over, come up
12.	过去	guòqu	*v.*	go over, pass by

课文（一） 17

Text I

（珍妮在宿舍楼门口看见友美）

珍妮：友美，要帮忙吗？

友美：哦，珍妮，不用了。

珍妮：你怎么买了这么多东西啊？

友美：下午想请几个朋友来我这儿，所以买了一些水果、酒什么的。

珍妮：还有花，还有零食。这么多，你怎么拿上去啊？

友美：没关系，马上就到电梯了。

珍妮：电梯坏了，管理员说下午才能修好。

友美：啊？那，我让同屋下来帮我拿吧。

珍妮：别叫她了，我帮你拿上去吧。你住五层吧？

友美：对，五层。太谢谢你了。你下午有空儿吗？没事的话，也过来一起聊聊天儿吧。

珍妮：不过去了，下午有个中国朋友要来。

友美：那就让他一起来吧，我们也想多认识几个朋友。

珍妮：好吧。

边学边练 *Practice to learn*

1. 友美为什么要买很多东西？ ________________
2. 友美都买了什么？ ________________
3. 她们为什么不用电梯？ ________________
4. 下午珍妮准备和朋友做什么？ ________________

跟我读，学生词（二） 18

New Words II

1.	进去	jìnqu	*v.*	go in, enter
2.	辛苦	xīnkǔ	*adj.*	hard, toilsome
3.	像	xiàng	*v.*	be like, look like
4.	想	xiǎng	*v.*	miss, yearn for
5.	谁	shéi (shuí)	*pron.*	anyone, anybody
6.	经常	jīngcháng	*adv.*	often, frequently

7.	迟到	chídào	*v.*	arrive late, be late
8.	其实	qíshí	*adv.*	actually, in fact
9.	发现	fāxiàn	*v.*	become aware of, find out, discover
10.	好处	hǎochu	*n.*	benefit, advantage
11.	第	dì	*pref.*	*used to indicate ordinal numbers*
12.	身体	shēntǐ	*n.*	body, health
13.	担心	dānxīn	*v.*	worry, be anxious about

课文（二） 19

Text II

（珍妮帮友美把东西拿到了房间门口）

友美：我们到了。

珍妮：我帮你把东西拿进去吧。

友美：好，谢谢。辛苦你了。

珍妮：别客气，好久没来你这儿了，你这儿越来越像家了。

友美：我也觉得，住在这里越来越舒服。

珍妮：还那么想家吗？

友美：好多了。刚来的时候，谁都不认识，一个朋友也没有，所以特别想家。

珍妮：我刚来的时候也一样，现在一点儿问题也没有了。

友美：不过，我还是不习惯那么早起床，那么早上课。

珍妮：现在还经常迟到吗？

友美：如果晚上睡得太晚，偶尔还会迟到。

珍妮：其实，我发现，早睡早起挺好的，真有不少好处。

友美：是吗？你说说，我听听。

珍妮：第一，早起床，就有时间吃早饭，对身体好；第二，不用担心迟到；第三，早点儿去教室，可以先看看书。

边学边练 *Practice to learn*

1. 友美的房间怎么样？ ______
2. 友美、珍妮刚来的时候怎么样？ ______
3. 友美现在还迟到吗？ ______
4. 早睡早起有什么好处？ ______

功能句
Functional Sentences

【邀请】 To make an invitation

1. 下午有空儿吗？没事的话，也过来一起聊聊天儿吧。
2. 有时间吗？有时间的话一起去看电影怎么样？
3. 那就让他一起来吧，我们也想多认识几个朋友。

【拒绝】 To turn down an invitation

不过去了，下午有个中国朋友要来。

【列举】 To enumerate items

1. 下午想请几个朋友来我这儿，所以买了一些水果、酒什么的。
2. 第一，早起床，就有时间吃早饭，对身体好；第二，不用担心迟到；第三，早点儿去教室，可以先看看书。

课堂活动与练习
Classroom Activities and Exercises

一、语音练习 *Pronunciation*

远亲不如近邻。

Yuǎnqīn bùrú jìnlín.

坏处 huàichu disadvantage 这么做有坏处吗？ 只有好处，没有坏处。

光盘 guāngpán disc, CD 电影光盘 一张光盘

话 huà word, talk 我的话很重要。 说了很多话

句 jù *a measure word for sentences* 一句话 这句话用汉语怎么说？

二、大声读一读 *Read aloud*

词语 / 句式 Words/structures	例子 Examples	请你给出更多例子 More examples
请	请客　今天我请客 请你说说　请他来我家	请问，请看，请进
v. + 上去	走上去　放上去 把车开上去　把东西带上去	
员	服务员　运动员	员工，学员，球员
空儿（kòngr）	我今天没空儿。 有空儿来玩儿。	
v. + 进去	装进去　放进去 他把球踢进去了。	
辛苦	辛苦一下吧。 辛苦了，快休息休息。	
谁	谁都不认识　谁都不迟到。 谁都愿意参加　谁都喜欢她。 谁都听不懂我的话。	谁人
一……也 + 没 / 不……	一个字也不会写 我一点儿也没听懂。	
担心	不担心　很担心　别担心 一点儿也不担心 担心考试不及格	

三、替换词语说句子 *Substitution drills*

1. 我们买了很多东西，水果、酒什么的。

喜欢各种水果	苹果、香蕉
准备了不少礼物	书、光盘、酒
常常出去	逛逛商店、听听音乐会
周末就在家里	喝喝茶、聊聊天儿

2. A：明天有空儿吗？没事的话，过来一起聊聊天儿吧。

B：不过去了，我的作业还没做完呢。

有时间	一起去郊游	不去了
有空儿	一起去看展览	不行
有空儿	带我们去玩儿	对不起
有时间	陪我去买光盘	不行

3. A：我帮你把东西拿进去吧。

B：好的，谢谢。

桌子	搬
衣服	放
葡萄酒	装

4. A：我刚来的时候，谁都不认识，一个朋友也没有。

B：我和你一样，不过现在好多了。

什么	不会说	个汉字	不会写
什么	不知道	句话	听不懂
什么	没学过	句话	不会说

5. A：我一点儿问题也没有。
   B：那好。

钱	没带	我这儿有
作业	没做	那快做吧
东西	不想吃	还是吃点儿吧
酒	不能喝	那就别喝了

6. A：我发现你经常去书店，你好像很喜欢买书。
   B：其实，我不太喜欢，是我朋友喜欢。

逛商店	买东西
打乒乓球	运动
去商店	买零食
买光盘	看电影

四、练一练：完成对话 *Complete the following dialogues*

1. A：友美，买了这么多东西啊。
   B：哦，______________来我这儿。
   A：都是好吃的东西吧？
   B：对，我买了 水果什么的 肉，鱼 ________。 [请　什么的]

2. A：铃木，要帮忙吗？
   B：哦，______________，东西不多。
   A：可是电梯坏了，还是我帮你______________吧。
   B：啊？又坏了。那就谢谢你了。
   A：不客气。 [用　上去]

3. A：喂，马丁，你______________吗？
   B：有，我现在没事。
   A：我买了很多东西，你能______________？我在一层。

B：好的，我马上＿＿＿＿＿＿＿＿＿＿。 ［有空儿　上去　下来］

4. A：我请了几个朋友来我家，没事的话，＿＿＿＿＿＿＿＿＿＿吧。
B：＿＿＿＿＿＿＿＿＿＿，明天还有考试呢。
A：那好吧，＿＿＿＿＿＿＿＿＿＿。
B：好的。 ［过来　过去　好好儿］

5. A：你好久没来了，请进。
B：啊，你这儿真好，＿＿＿＿＿＿＿＿＿＿。
A：我也觉得跟家差不多，很舒服。
B：你刚来的时候，＿＿＿＿＿＿＿＿＿＿，现在怎么样？
A：好多了，偶尔还会想家，不过＿＿＿＿＿＿＿＿＿＿。
［像　想家　越来越］

6. A：你现在还常常想家吗？
B：好多了。刚来的时候，＿＿＿＿＿＿＿＿＿＿，没有朋友，所以特别想家。
A：我也一样，现在好了，＿＿＿＿＿＿＿＿＿＿。
B：＿＿＿＿＿＿＿＿＿＿，我越来越喜欢这里。
［谁　一点儿　发现］

7. A：友美，你怎么这么早就睡觉？
B：老师说，要早点儿睡，早点儿起。
A：其实，早睡早起真的＿＿＿＿＿＿＿＿＿＿。
B：都有什么好处呢？
A：＿＿＿＿＿＿＿＿＿＿；第二，不用担心迟到。
［好处　第一　对……好］

五、小组活动 *Group work*

看图说一说　Look at the picture and talk about it.

任务一：说一说这幅图。

Task 1: Talk about the picture.

任务二：角色扮演。如果你看见她，你会怎么做?

Task 2: Role-play. What will you do if you see her?

六、复习与表达 *Review and presentation*

1. 双人对话　Pair work: Make dialogues.

A	B
要帮忙吗?	
	要请几个朋友，所以买了一些水果什么的。
这么多东西，你怎么拿上去啊?	
电梯怎么了?	
	别叫你同屋了，我帮你拿上去吧。
没事的话，你也过来一起聊聊天儿吧。	
我帮你把东西拿进去吧。	
	我也觉得，住在这里越来越舒服。
还那么想家吗?	

还有什么不习惯的吗？	
现在还经常迟到吗？	
	是吗？早起都有什么好处？

2. 课堂展示 Presentation

选择一个话题说一说。

Choose one of the following topics and talk about it.

（1）多和中国人交谈的好处

（2）旅游的好处

（3）骑自行车的好处

（4）不吃早饭的坏处

参考词语和句式

第一，……；第二，……；第三，…… 发现 其实 好处

坏处 身体 担心 像 想家 经常 ……什么的

挑战自我
Challenge Yourself

一、词语扩展任务 *Vocabulary building task*

仿照例子做扩展练习。

Read aloud and do the exercises following the examples.

练习一

酒	啤酒 白酒 喝酒 酒吧
	（列举更多带"酒"的词语 Try to give more words or phrases with "酒"）

<table>
<tr><td rowspan="2">电</td><td>电梯　电话　电动汽车</td></tr>
<tr><td>（列举更多带“电”的词语　Try to give more words or phrases with “电”）</td></tr>
</table>

<table>
<tr><td rowspan="2">心</td><td>担心　关心　爱心</td></tr>
<tr><td>（列举更多带“心”的词语　Try to give more words or phrases with “心”）</td></tr>
</table>

练习二

<table>
<tr><td>好处</td><td>有好处　没有好处　没好处
好处很多　对大家都有好处　对谁都没好处
一点儿好处也没有　也许有点儿好处</td></tr>
<tr><td>坏处</td><td>（Try to use “坏处” with “有”, “没有”, “多”, “一点儿” and “有点儿”）</td></tr>
</table>

二、交际任务 *Communicative task*

找几个朋友说一说坐电梯的好处和坏处。

Talk with your friends about the pros and cons of taking an elevator.

坐电梯的好处	坐电梯的坏处
☆	☆
☆	☆
☆	☆

这些话，我能脱口而出

他是从新加坡来的

He's from Singapore

跟我读，学生词（一） 21

New Words I

1.	中间	zhōngjiān	*n.*	center, middle
2.	长	zhǎng	*v.*	grow, develop
3.	帅	shuài	*adj.*	handsome
4.	聪明	cōngming	*adj.*	clever, smart, intelligent
5.	毕业	bìyè	*v.*	graduate
6.	位	wèi	*m.*	*used in polite reference to people*
7.	美女	měinǚ	*n.*	beautiful woman, beauty
8.	噢	ō	*int.*	(*indicating understanding or awareness*) oh
9.	好像	hǎoxiàng	*adv.*	as if, seem
10.	介绍	jièshào	*v.*	introduce, present

专有名词 Proper Nouns

1.	新加坡	Xīnjiāpō	Singapore
2.	剑桥大学	Jiànqiáo Dàxué	University of Cambridge

课　文（一） 22

Text I

（铃木和友美在聊天儿）

友美：你们的培训怎么样？

铃木：挺不错的，每天都有很多东西要学。

友美：认识新朋友了吗？

铃木：当然。对了，我手机上有我们的照片。

友美：让我看看。

铃木：你看，中间这个是王云龙，是从新加坡来的；左边这个是卡尔，是从德国来的。

友美：卡尔他长得真帅。

铃木：对，还特别聪明。他们说，他是英国剑桥大学毕业的。

友美：哎，后边这位美女是谁？

铃木：这位是……，噢，她是今天刚到的，我还不知道她叫什么名字，好像是从韩国来的。

友美：有机会的话，一定介绍我们认识一下。

铃木：好，没问题。

边学边练 *Practice to learn*

1. 铃木的培训怎么样？ ______
2. 介绍一下铃木的新朋友王云龙。 ______
3. 介绍一下铃木的新朋友卡尔。 ______

跟我读，学生词（二） 23

New Words II

1.	或者	huòzhě	*conj.*	or, either
2.	最好	zuìhǎo	*adv.*	had better
3.	停	tíng	*v.*	stop
4.	记得	jìde	*v.*	remember
5.	记者	jìzhě	*n.*	journalist, reporter
6.	派	pài	*v.*	send, assign, dispatch
7.	宣传部	xuānchuánbù	*n.*	publicity department
	宣传	xuānchuán	*v.*	promote, publicize, conduct propaganda
	部	bù	*suf.*	department, section, ministry

8. 放心 fàngxīn *v.* rest assured

课文（二）

Text II

（铃木约友美周末去郊游）

铃木：友美，你周末有没有时间？

友美：这个周末？有空儿，什么事？

铃木：我和几个朋友想去郊外看看，你有兴趣吗？

友美：好啊，你们打算怎么去？

铃木：坐公共汽车或者骑车，都行。

友美：最好骑车，这样方便，想在哪儿停一停、看一看都可以。

铃木：好，听你的。对了，还记得我们培训班的那位美女吗？

友美：噢，照片上的那个，当然记得。

铃木：她也和我们一起去。

友美：真的，太棒了！你现在知道她的名字了吗？

铃木：她叫金智慧，学新闻的。

友美：她是记者？

铃木：不是，她是一家韩国汽车公司派来的，好像在公司广告部或者宣传部工作。

友美：哦。那周末我们出去玩儿，你一定介绍我们认识。

铃木：当然，放心吧。

边学边练 *Practice to learn*

1. 周末，铃木他们想去做什么？ ______
2. 铃木他们想怎么去？ ______
3. 友美觉得怎么去最好？为什么？ ______
4. 介绍一下铃木班里的美女。 ______

功能句
Functional Sentences

【介绍】 To introduce someone

1. 中间这个是王云龙，是从新加坡来的。
2. 这个是卡尔，是从德国来的。
3. 他是英国剑桥大学毕业的。
4. 她是今天刚到的，我还不知道她叫什么名字，好像是从韩国来的。
5. 她叫金智慧，是学新闻的。

【邀请】 To make an invitation

1. 我和几个朋友想去郊外看看，你有兴趣吗？
2. 我们想请你一起去郊游，不知道你有没有时间。

【引起注意】 To call one's attention

1. 你看，中间这个是王云龙，是从新加坡来的。
2. 对了，还记得我们培训班的那位美女吗？
3. 对了，我手机上有我们的照片。
4. 哎，后边这位美女是谁？

【服从】 To obey

1. A：有机会的话，一定介绍我们认识一下。
   B：好，没问题。
2. A：有机会介绍我们认识一下。
   B：可以，没问题。
3. A：最好骑车，这样方便，想在哪儿停一停、看一看都可以。
   B：好，听你的。

课堂活动与练习
Classroom Activities and Exercises

一、语音练习 *Pronunciation*

三人行，必有我师。

Sān rén xíng，bì yǒu wǒ shī.

树	shù	tree	树越来越高了	这些树真漂亮！
草	cǎo	grass	有花有草	我们在草地上玩儿。
种	zhòng	plant, grow	种树种草	我喜欢种花，更喜欢种树。
画儿	huàr	picture, painting	一张画儿	我想学画画儿。

二、大声读一读 *Read aloud*

词语 / 句式 Words/structures	例子 Examples	请你给出更多例子 More examples
长（zhǎng）	树长高了。　我长大了。 他长得像爸爸。	
聪明	他很聪明。　他是个聪明人。 这样做太不聪明了。	
好像	我好像没见过你。 我好像来过这里。	
是……的	我是坐火车去的。 他是昨天来的。	
或者	喝茶或者咖啡都行。 我想明天或者后天去。	
最好	最好听我的。　最好吃中餐。 你最好每天吃早饭。	
放心	不放心　很放心　放不下心 妈妈对我不放心。	

三、替换词语说句子　*Substitution drills*

1. 他是英国剑桥大学毕业的。

学经济
从英国来
坐飞机去
上个星期走
跟朋友一起看

2. A：那位是谁？

B：我们班的新同学，她好像是从韩国来的。

A：有机会介绍我们认识一下。

B：可以，没问题。

特别喜欢花、树、草什么的
汉语特别棒
是画画儿的
是和她姐姐一起来的

3. A：我想和几个朋友去郊外，你有兴趣吗？

B：好啊，你们打算怎么去？

A：最好是骑车，骑车方便。

看展览	什么时候去	明天	没有课
旅游	去哪儿	哈尔滨	有冰雪节
公园	怎么去	坐地铁	快

4. A：你的意思是——

B：坐公共汽车或者骑车，都行。

A：那听你的吧。

今天	明天
种草	种树
学画画儿	学唱歌
跟我走	跟他走

5. A：你看，这个地方不错吧？
B：真的不错！

这种苹果	好吃
地铁	快
今天的考试	不难
这个词	有用

6. A：对了，听说你要出去玩儿。
B：是啊。
A：你出去玩儿，别忘了叫上我。
B：放心吧，一定叫上你。

去种树	当然
申请参加球队	行
去旅行	没问题

四、练一练：完成对话 *Complete the following dialogues*

1. A：这张照片上都是谁啊？
B：他们是 ________________ 。
A：中间这个人真高，他是哪国人？
B：他 ________________ 。

[新　从……来]

2. A：照片上，左边这个是你们的培训老师吗？
B：对。我们都觉得 ________________ 。
A：他是挺帅的。
B：他还特别聪明，他们说他是 ________________ 。

[长　毕业]

3. A：照片中间这位美女是谁？
B：我还不知道她的名字，________________ 。
A：我觉得她很像韩国人。
B：噢，________________ 。
A：________________ ，一定介绍我们认识一下。

[刚到　好像　……的话]

4. A：我们什么时候去郊外看看？

B：好啊，________________。

A：这个周末吧，这个周末天气好。

B：行。我们坐公共汽车还是骑车？

A：我觉得________________，这样方便。［或者　最好］

5. A：这位美女是谁啊？

B：________________？她是大中的妹妹。

A：噢。她现在也在这里上大学？

B：不是，她是韩国公司________________，她来培训。［记得　派］

6. A：我记得你是学新闻的。

B：对，现在已经毕业了。

A：________________？

B：不是，我在一家公司________________。［记者　宣传部］

五、小组活动　*Group work*

填表说一说　Fill in the table and talk about it.

课文里的人物信息					
铃木	（1）友美的朋友	（2）日本	（3）参加培训		
王云龙	（1）照片中间	（2）			
卡尔	（1）	（2）	（3）帅	（4）	（5）
金智慧	（1）	（2）	（3）美女	（4）汽车公司	（5）

任务一：根据课文填写更多信息。

Task 1: Fill in the table with more information from the texts.

任务二：说一说表中的每个人。

Task 2: Talk about each person in the table.

六、复习与表达 *Review and presentation*

1. 双人对话 Pair work: Make dialogues.

A	B
你们的培训怎么样？	
认识新朋友了吗？	
照片上都是谁啊？	
	他是剑桥大学毕业的。
后边这位美女是谁？	
	好，没问题，一定介绍你们认识。
周末有没有时间？	
你们打算怎么去？	
	好，听你的。
你还记得我们培训班的那位美女吗？	
这位美女也和我们一起去。	
她是哪个公司派来的？	

2. 课堂展示 Presentation

拍一张你和朋友们的照片，给大家介绍一下。

Have someone take a photo of you and your friends. Then talk about the people in the photo.

参考词语和句式

介绍 中间 位 长 帅 美女 聪明 毕业
记得 最好 是……的 有机会的话 或者

挑战自我
Challenge Yourself

一、词语扩展任务 *Vocabulary building task*

仿照例子做扩展练习。

Read aloud and do the exercises following the examples.

练习一

中间　对面　前边　上边
（列举更多与方位相关的词语　Try to give more words or phrases of locality）

练习二

介绍	我来介绍一下。	你给我们介绍介绍。	我介绍吧。
	我介绍一下我的朋友。	你介绍一下那里的天气。	再介绍点儿别的。
	这些都介绍过了。	已经介绍了	还没介绍北京呢
	我介绍完了。	已经介绍一次了吧？	不介绍也没关系。
认识	（Try to use “认识” with “了”，“没有”，“一下” and “来” or to use its reduplicate form）		

毕业	他明年就要毕业了。 他们现在还没毕业。 我是去年毕业的。 我们都是 2011 年毕业的。 毕业后我当了两年兵。 毕了业我就来中国了。 毕了业我想去中国工作。 她毕业于韩国的高丽大学。
出生	（Try to use “出生” with “了”，“没有”，“是……的”，“后” and “于”）

二、交际任务 *Communicative task*

把你的同学介绍给你的中国朋友，把你的中国朋友介绍给你的同学。

Introduce your classmates to your Chinese friends and then your Chinese friends to your classmates.

这些话，我能脱口而出

6 这个颜色挺适合你的

This color suits you well

跟我读，学生词（一） 26

New Words I

1.	一直	yìzhí	*adv.*	always, all along
2.	奇怪	qíguài	*adj.*	strange, odd
3.	一会儿…… 一会儿……	yíhuìr…… yíhuìr……	*adv.*	now... then...
4.	穿	chuān	*v.*	wear, put on
5.	厚	hòu	*adj.*	thick
6.	讨厌	tǎoyàn	*v.*	dislike, be disgusted with
7.	外衣	wàiyī	*n.*	coat, outer garment
8.	原来	yuánlái	*n.*	originally, formerly
9.	颜色	yánsè	*n.*	color
10.	深	shēn	*adj.*	(of color) dark, deep
11.	浅	qiǎn	*adj.*	(of color) light
12.	适合	shìhé	*v.*	suit, fit

课文（一） 27

Text I

（友美和汉娜正准备出去）

汉娜：这几天天气真不好。

友美：是啊，昨天晚上一直在下雨，现在还刮风。外边好像挺冷的。

汉娜：我就不喜欢刮风。这儿的天气真奇怪，一会儿冷，一会儿热。

友美：这么冷，你得多穿点儿，我也得穿一件厚点儿的。

汉娜：我最讨厌穿那么多衣服了，干什么都不方便。

友美：哎，你这件外衣真不错，是新买的吧？

汉娜：不是，是以前买的。原来有点儿肥，一直没穿。

友美：一点儿也不肥，很合适。

汉娜：是啊，我长胖了。

友美：没有。你穿合适极了，特别好看。

汉娜：我觉得这个颜色有点儿深，浅一点儿就更好看了。你说呢？

友美：我觉得这个颜色挺适合你的。

汉娜：好吧，就穿这件了。我们走吧。

边学边练 *Practice to learn*

1. 这儿天天气怎么样？ ____________
2. 为什么说这里的天气奇怪？ ____________
3. 汉娜不喜欢什么？ ____________
4. 汉娜觉得衣服怎么样？ ____________
5. 友美觉得衣服怎么样？ ____________

跟我读，学生词（二） 28

New Words II

1.	出租车	chūzūchē	*n.*	taxi
	出租	chūzū	*v.*	let, rent out
2.	打车	dǎchē	*v.*	take a taxi
3.	没错	méi cuò		exactly, surely
4.	辆	liàng	*m.*	*used for vehicles*
5.	上学	shàngxué	*v.*	go to school, attend school
6.	比较	bǐjiào	*adv.*	comparatively, relatively
7.	旧	jiù	*adj.*	old, worn, used
8.	二手	èrshǒu	*adj.*	secondhand

9.	百	bǎi	*num.*	hundred
10.	商品	shāngpǐn	*n.*	commodity, goods
11.	市场	shìchǎng	*n.*	market
12.	网上	wǎngshang		online, on the Internet

课文（二）

Text II

（汉娜和马丁在讨论怎么去学校）

汉娜：你每天怎么去学校？

马丁：我一般坐出租车。你呢？

汉娜：我原来也常常打车，可是我觉得打车太贵了，现在我一般都坐地铁。

马丁：没错，我也觉得每天打车有点儿贵。我想买一辆自行车，以后骑车上学。

汉娜：新车比较贵，最好买旧的，旧的比较便宜。

马丁：你说的旧车就是二手车吧？

汉娜：对。要是我买的话，就买二手的，一两百就能买到。

马丁：是吗？可是，在哪儿能买二手车呢？

汉娜：好多自行车商店都有，还有二手商品市场，或者在网上，都能买到。

马丁：哎，你想不想也买一辆？我们都骑车上学。

汉娜：可以啊。

马丁：那我们今天就在网上找一找，看看有没有合适的。

汉娜：好的。

边学边练 *Practice to learn*

1. 汉娜现在怎么去学校？ ____________________
2. 马丁为什么想买自行车？ ____________________
3. 二手车的好处是什么？ ____________________
4. 哪里能买到二手车？ ____________________

功能句
Functional Sentences

【讨厌】 To express dislike

1. 我就不喜欢刮风。
2. 我最讨厌穿那么多衣服了，干什么都不方便。

【评价】 To make a comment

1. 这几天天气真不好。
2. 这件衣服一点儿也不肥，你穿很合适。
3. 你穿合适极了，特别好看。

【同意】 To express agreement

1. A：这几天天气真不好。
   B：是啊，昨天晚上一直在下雨，现在还刮风。外边好像挺冷的。
2. A：我原来也常常打车，可是我觉得打车太贵了，现在我一般都坐地铁。
   B：没错，我也觉得每天打车有点儿贵。
3. A：哎，你想不想也买一辆？我们都骑车上学。
   B：可以啊。
4. A：那我们今天就在网上找一找，看看有没有合适的。
   B：好的。

【纠正】 To correct something wrong

1. A：你这件外衣真不错，是新买的吧？
   B：不是，是以前买的。
2. A：我长胖了。
   B：没有。
3. A：我觉得这个颜色有点儿深，浅一点儿就更好看了。你说呢？
   B：一点儿也不深，我觉得这个颜色挺适合你的。

课堂活动与练习
Classroom Activities and Exercises

一、语音练习 *Pronunciation*

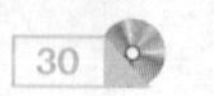

青出于蓝而胜于蓝。
Qīng chū yú lán ér shèng yú lán.

矮 ǎi (of stature) short	他太矮了。	这个椅子有点儿矮，有高点儿的吗？
安静 ānjìng quiet	教室里安静极了。	请安静！
书包 shūbāo school bag	一个新书包	这是谁的书包？
红 hóng red	红色	红苹果
T恤衫 T-xùshān T-shirt	一件T恤衫	我的T恤衫

二、大声读一读 *Read aloud*

词语 / 句式 Words/structures	例子 Examples	请你给出更多例子 More examples
一直	一直在看书 我们一直都是好朋友。	
奇怪	真奇怪　这个人很奇怪。 奇怪的事	
一会儿…… 一会儿……	风一会儿大，一会儿小。 我们一会儿唱歌，一会儿跳舞。 他一会儿想上商店，一会儿想上公园。	
讨厌	真讨厌　讨厌的天气 我讨厌这样的天气。	
原来	我原来很矮，现在长高了。 他原来住学校，现在住外边了。	
打车	打车去学校 五个人得打两辆车。	

上学	六岁上学　天天去上学 我在这儿上了四年学。	
比较	图书馆比较安静。 我比较喜欢春天。 大家学习都比较努力。	

三、替换词语说句子 *Substitution drills*

1. A：这儿天天气不好，一直刮风。
   B：我就不喜欢刮风，哪儿也不能去。

下雨
下雪

2. A：你得多穿点儿衣服。
   B：我最讨厌穿那么多衣服了，干什么都不方便。

穿厚一点儿	穿那么厚	一点儿也不舒服
多吃肉	吃肉	吃肉会长胖
多运动	冬天运动	那么冷

3. A：你的外衣真不错，是新买的吧？
   B：不是，是以前买的，一直没穿，我觉得颜色有点儿浅。
   A：一点儿也不浅，挺好的。

书包	用	有点儿大	大
自行车	骑	太红了	红
T恤衫	穿	有点儿短	短

4. A：我觉得这个颜色有点儿深，浅一点儿就好了。
   B：这样挺好的。

节目	短	长
时间	早	晚
地方	吵	安静
书包	小	大

5. A：我的衣服原来有点儿肥。
   B：现在挺合适的。

发音	不太好	很不错
电脑	特别不好用	好用了
T恤衫	有点儿长	你长高了

6. A：打车太贵了，我一般都坐地铁。
   B：没错，我也觉得打车有点儿贵。

骑车太累了	坐车	骑车有点儿累
跑步太没意思了	打乒乓球	跑步有点儿没意思
火车太慢了	坐飞机	火车有点儿慢

7. A：我发现买二手车挺好的。
   B：当然好了，好多同学都买二手车。

看广告学汉语	同学	这么做
红T恤衫	人	喜欢红的
打太极拳	留学生	学太极拳呢

四、练一练：完成对话 *Complete the following dialogues*

1. A：这几天天气真不好。
   B：是啊。昨天________________，现在还刮风。
   A：外边________________。
   B：是，多穿点儿衣服吧。

[一直　好像]

2. A：你喜欢这儿的天气吗？
   B：我觉得这儿的天气________________。
   A：是吗？
   B：是啊，________________。

A：好像是，昨天还很热，今天又这么冷。

[奇怪　一会儿……一会儿……]

3. A：今天特别冷，________________。

B：我就不喜欢穿太厚。

A：我也________________，干什么都不方便。

B：没错。　[穿　厚　讨厌]

4. A：哎，你这件外衣真不错，是新买的吧？

B：不是，是以前买的。________________，一直没穿。

A：一点儿也不肥，________________，正合适。

B：是吗？那就穿这件。　[原来　不……不……]

5. A：你觉得这个颜色怎么样？

B：挺好看的。

A：我觉得________________，________________就更好看了。

B：一点儿也不深，________________。

A：好吧，就买这件了。　[深　浅　适合]

6. A：你每天怎么去学校？

B：________________。

A：我原来也坐出租，可是________________，现在________________。

B：________________，真的挺贵的，________________。

[一般　打车　没错　以后]

7. A：我以后想骑车上学，我要买________________。

B：不用买新的，________________。

A：二手的就是________________？

B：没错，就是旧的，很便宜。　[辆　二手　旧]

8. A：商店里有二手的自行车吗？
B：一般没有，你可以去________________或者________________。
A：网上也能买？
B：没错，还很便宜，________________。 [市场 网上 百]

五、小组活动 *Group work*

填表说一说 Fill in the table and talk about it.

	好处	坏处	大家的建议
刮风			
一会儿冷一会儿热			
打车			
买二手车			

任务一：讨论并填表。

Task 1: Discuss with your group members and fill in the table.

任务二：根据"大家的建议"说一说你的想法。

Task 2: Talk about your own opinion based on the suggestions in the table.

六、复习与表达 *Review and presentation*

1. 双人对话 Pair work: Make dialogues.

A	B
这几天天气真不好。	
外边好像一直在刮风。	
这么冷，你得多穿点儿。	
	不是，是以前买的。一直没穿。
你喜欢这个颜色吗？	

我穿这个颜色怎么样？

我一般坐出租车，你呢？

我原来打车，现在一般坐地铁。

我想买一辆新自行车。

要是你买自行车，你买哪一种？

在哪儿能买二手车呢？

可以啊，我们一起骑车上学。

2. 课堂展示　Presentation

选择一个话题说一说。

Choose one of the following topics and talk about it.

（1）这里的天气

（2）我喜欢的一件衣服

（3）打车上学

（4）二手自行车

参考词语和句式

一直	奇怪	刮风	讨厌	原来	厚	肥	瘦
适合	深	浅	新	旧	二手	市场	网上
比较	一会儿……一会儿……			多 + v.	不……不……		

挑战自我
Challenge Yourself

一、词语扩展任务　*Vocabulary building task*

仿照例子做扩展练习。

Read aloud and do the exercises following the examples.

深—浅　厚—薄　穿—脱　多—少
（列举更多对反义词　Try to give more pairs of antonyms）

红色　白色　黄色　深黄色
（列举更多与颜色相关的词语　Try to give more words or phrases related to color）

上学　放学　上课　大学　教室
（列举更多与上学相关的词语　Try to give more words or phrases related to schooling）

二、交际任务　*Communicative task*

调查几个朋友，了解一下他们是怎么上学、上班的，以及他们为什么选择这种出行方式。

Interview a few friends about how they go to school or work and why they choose such means of transport.

朋友	怎么上学 / 上班	为什么

这些话，我能脱口而出

7 越快越好

The sooner, the better

跟我读，学生词（一） 31

New Words I

1.	发	fā	*v.*	deliver, send (out)
2.	取	qǔ	*v.*	take, get, fetch
3.	地址	dìzhǐ	*n.*	address, location
4.	方式	fāngshì	*n.*	way, pattern, mode
5.	大概	dàgài	*adv.*	approximately, generally, roughly
6.	以内	yǐnèi	*n.*	within, less than
7.	越……越……	yuè……yuè……	*adv.*	the more… the more…
8.	本	běn	*pron.*	this, current
9.	市	shì	*n.*	city, municipality
10.	外地	wàidì	*n.*	other places, part of the country other than where one lives [本市人 - 外地人]

专有名词 Proper Noun

经贸大学	Jīngmào Dàxué	University of Economics and Business

课文（一） 32

Text I

快递：你好！天天快递公司。

汉娜：你好！我有几本书想发快递，能派人来取一下吗？

快递：好，请说一下您的地址。

汉娜：我这里是花园小区，15号楼，806号。

快递：您的联系方式？
汉娜：我的手机是13801239865。
快递：好，我们马上派人过去。
汉娜：大概多长时间能过来？
快递：一个小时以内，家里有人吧？
汉娜：我等你，越快越好啊。对了，多少钱？
快递：您送到哪里？本市还是外地？
汉娜：本市，就送到经贸大学。
快递：本市10块。
汉娜：多长时间送到？
快递：快的话今天，最晚明天上午。

边学边练 *Practice to learn*

1. 汉娜找的是哪家快递公司？ ____________________
2. 汉娜的书要送到哪里？ ____________________
3. 快递公司多长时间来取书？ ____________________
4. 书什么时候能送到？ ____________________

跟我读，学生词（二） 33

New Words II

1.	收	shōu	*v.*	receive, accept
2.	寄	jì	*v.*	post, mail
3.	路上	lùshang		on the road, on the way
4.	瓶子	píngzi	*n.*	bottle
5.	摔	shuāi	*v.*	cause to fall and break
6.	小心	xiǎoxīn	*adj.*	careful, cautious
7.	肯定	kěndìng	*adv.*	sure, definitely

8.	包装	bāozhuāng	*n.*	pack, package
9.	碎	suì	*v.*	smash, break into pieces
10.	价格	jiàgé	*n.*	price
11.	距离	jùlí	*n.*	distance

课文（二）  

Text II

（杰森收到快递后给汉娜打电话）

杰森：汉娜，你快递给我的书收到了。

汉娜：已经收到了？这么快？

杰森：对，谢谢你。

汉娜：快递真不错，又方便又快，还不贵。

杰森：是啊，我寄东西也常常用快递，打个电话就行了。

汉娜：对了，我有两瓶酒想给上海的朋友，也能快递吗？

杰森：当然可以。

汉娜：会不会路上瓶子摔坏了呢？

杰森：不会，快递公司会很小心，肯定也有特别的包装。

汉娜：那太好了。

杰森：不过，这种容易碎的东西，价格好像贵一点儿。

汉娜：没关系。那，快递到上海大概要几天？

杰森：一两天吧。肯定是距离越远时间越长。你可以打电话问问。

汉娜：好的，谢谢你。

边学边练 *Practice to learn*

1. 汉娜觉得快递有什么好处？ ____________________
2. 酒也能快递吗？ ____________________
3. 路上酒瓶会不会摔坏？ ____________________
4. 快递酒和书，价格一样吗？ ____________________

功能句
Functional Sentences

【自我介绍】 To introduce oneself

1. 你好！天天快递公司。
2. 您好！这里是友谊宾馆。
3. 您好！114 查号台为您服务。

【询问联系方式、询问时间】 To ask for contact information or length of time

1. 您的联系方式？
2. 大概多长时间能过来？
3. 多长时间送到？
4. 快递到上海大概要几天？

【请求】 To make a request

1. 我有几本书想发快递，能派人来取一下吗？
2. 请说一下您的地址。
3. A：我们马上派人过去。
   B：您可以快一点儿吗？
4. A：我们马上派人过去。
   B：您快一点儿行吗？

课堂活动与练习
Classroom Activities and Exercises

一、语音练习 *Pronunciation*

一寸光阴一寸金。
Yí cùn guāngyīn yí cùn jīn.

条	tiáo	*a measure word*	一条路	一条河
河	hé	river	这条河很长。	河里的水

裤子　kùzi　trousers	一条裤子	裤子太长了。
样子　yàngzi　appearance, look	衣服的样子	样子很特别
订　dìng　book, order	订餐	我想订房间。

二、大声读一读　*Read aloud*

词语 / 句式 Words/structures	例子 Examples	请你给出更多例子 More examples
发	发信　发邮件 发了一个通知	
大概	大概六七岁　大概十分钟 他大概不来了。	
……以内	一个小时以内　三天以内 20 个人以内	
越……越……	越快越好　他越走越远。 雨越下越大。 距离越远，价格越高。	
本	本人　本校　本国	
小心	小心点儿　要小心 不小心丢了	
肯定	肯定来　肯定容易 我肯定没记错。	

三、替换词语说句子　*Substitution drills*

1. A：你好！天天快递公司。

　B：我想发快递，请问……

好吃来饭店	订餐，请问……
风景旅馆	订房间，请问……
培训部	参加培训，请问……

2. A：你好！我想发快递，可以派人来取一下吗？

B：可以，请说一下您的地址。

A：……

B：您的联系方式？

A：我的手机是……

订餐	送到家
修洗衣机	派人来修
搬家	派车帮我搬

3. 他开车越开越快。

说汉语	说	好
唱歌	唱	好听
买书	买	多

4. 天气越热，我睡得越晚。

天气	冷	他穿得	多
学得	多	我觉得	容易
东西	漂亮	价格	贵
山	高	风景	优美

5. A：快递什么时候到？

B：快的话今天，最晚明天上午。

快餐	十分钟以内	12点半
搬家公司	半个小时	10点
马丁	两个小时以后	吃晚饭的时候

6. A：这酒的包装很特别。

B：是法国的。

裤子	样子	自己做
衣服	颜色	从上海买
词	发音	刚跟朋友学

四、练一练：完成对话　*Complete the following dialogues*

1. A：你好！快递公司。

   B：我有东西想发快递，＿＿＿＿＿＿＿＿＿＿＿＿？

   A：好，请＿＿＿＿＿＿＿＿＿＿＿＿。

   B：花园小区15号楼806。

   A：您的＿＿＿＿＿＿＿＿＿＿＿＿呢？

   B：我的手机是……　　[取　地址　方式]

2. A：我想发快递，请派人来取一下。

   B：好的，＿＿＿＿＿＿＿＿＿＿＿＿。

   A：大概要多长时间？

   B：＿＿＿＿＿＿＿＿＿＿＿＿。

   A：好，我在家等。　　[马上　以内]

3. A：请问，发本市快递，多长时间能送到？

   B：快的话，＿＿＿＿＿＿＿＿＿＿＿＿，最晚明天。

   A：好的，希望＿＿＿＿＿＿＿＿＿＿＿＿。　　[大概　越……越……]

4. A：你经常用快递吗？

   B：是啊，＿＿＿＿＿＿＿＿＿＿＿＿。

   A：酒也能快递吗？

   B：当然可以。

   A：会不会路上瓶子摔坏了呢？

   B：一般不会，＿＿＿＿＿＿＿＿＿＿＿＿。　　[……又……　小心　包装]

5. A：请问，本市快递要多长时间？

   B：＿＿＿＿＿＿＿＿＿＿＿＿。

   A：发到上海呢？

B：＿＿＿＿＿＿＿＿＿＿＿＿＿＿＿，大概两三天吧。

A：好的，知道了。　　［……的话　越……越……］

6. A：你快递给我的酒＿＿＿＿＿＿＿＿＿＿＿＿＿＿＿，谢谢。

B：已经收到了？这么快。

A：对，今天早上收到的。

B：酒是很容易＿＿＿＿＿＿＿＿＿＿＿＿＿＿＿，我还担心呢。

A：没问题，快递公司＿＿＿＿＿＿＿＿＿＿＿＿＿＿＿。　　［收到　碎　特别］

五、小组活动　*Group work*

填表说一说　Fill in the table and talk about it.

如果你有东西要送给在别的地方的朋友，你会怎么做?

What would you do if you have something to give to a friend who is at some other place?

	外地	本市	本校	原因
自己送去				
找朋友帮忙				
去邮局				
找快递				

任务一：根据问题作选择，在对应的空格里打“√”，并说明原因。

Task 1: Tick the items of your choice and give your reasons.

任务二：讨论不同方法的好处和坏处，并选择你们小组的方法。

Task 2: Work with your group members to discuss about the pros and cons of the different methods and make the choices of the group.

六、复习与表达　*Review and presentation*

1. 双人对话　Pair work: Make dialogues.

A	B
你好！天天快递公司。	
	花园小区，806 号。
	我的手机，18607235497。
我们马上派人过去。	
大概多长时间能过来？	
家里有人吗？	
	本市，就送到经贸大学。
多长时间能送到？	
你快递给我的书，收到了。	
快递怎么样？	
	酒啊，当然可以。
会不会路上瓶子摔坏了呢？	
要是快递酒到上海多少钱？	
	一两天吧。
到上海的时间比较长吧。	

2. 课堂展示　Presentation

角色扮演　Role-play

（1）给快递公司打电话，要快递几本书。

（2）给快递公司打电话，要快递几瓶酒。

参考词语和句式

发　取　地址　联系方式　大概　本市　外地

小心　肯定　价格　越……越……　要是……的话

挑战自我
Challenge Yourself

一、词语扩展任务 *Vocabulary building task*

仿照例子做扩展练习。

Read aloud and do the exercises following the examples.

练习一

上	路上　车上　书上　衣服上 （列举更多带“上”的词语　Try to give more words or phrases with “上”）

子	瓶子　桌子　袜子 （列举更多带“子”的词语　Try to give more words or phrases with “子”）

练习二

碎	碎了	没碎
	很容易碎	不容易碎
	已经碎了，不能用了。	对不起，我把你的杯子弄碎了。
坏	（Try to use “坏” with “了”，“没”，“容易”，“已经” and “把”）	

二、交际任务 *Communicative task*

给快递公司打个电话，了解一下快递到本市和外地的价格、需要的时间等信息。

Call a courier company and make an inquiry about the information, such as the price and time needed for delivering an express mail to a local address and to another city respectively.

这些话，我能脱口而出

虽然听不懂，但是我喜欢

I can't understand it, but I like it

跟我读，学生词（一） 36

New Words I

1.	京剧	jīngjù	*n.*	Beijing opera
2.	明白	míngbai	*v.*	understand, comprehend
3.	演员	yǎnyuán	*n.*	performer, actor/actress
4.	表演	biǎoyǎn	*v.*	perform, act
5.	特点	tèdiǎn	*n.*	characteristic, feature
6.	虽然	suīrán	*conj.*	although
7.	但（是）	dàn(shì)	*conj.*	but, yet
8.	化妆	huàzhuāng	*v.*	make up
9.	脸	liǎn	*n.*	face
10.	绿	lǜ	*adj.*	green
11.	白	bái	*adj.*	white
12.	黑	hēi	*adj.*	black
13.	脸谱	liǎnpǔ	*n.*	type of facial make-up in traditional Chinese operas

课文（一） 37

Text I

马丁：汉娜，昨天给你打电话，你不在。

汉娜：哦，昨天我和朋友看京剧去了。

马丁：京剧？你听得懂吗？

汉娜：一点儿都听不懂，他们说的话跟我们学的汉语不一样。

马丁：我朋友也这么说。不过，没关系，听说有的中国人也听不懂。

汉娜：对，中国朋友告诉我，他们也要看旁边的字幕才明白。

马丁：一边看字幕一边听，这样不错。

汉娜：我也不看字幕，我一直在看那些演员表演。

马丁：他们的表演怎么样？

汉娜：很有特点。虽然我听不懂，但是我喜欢京剧。

马丁：听不懂还喜欢，为什么？

汉娜：我喜欢他们的衣服，也喜欢他们的化妆。

马丁：听朋友说，他们的化妆很有特点。

汉娜：对，很特别，脸上红的、绿的、白的、黑的，什么颜色都有。我朋友告诉我，那叫“脸谱”。我对他们的脸谱特别有兴趣。

边学边练 *Practice to learn*

1. 汉娜为什么听不懂京剧？ ______
2. 汉娜的中国朋友听得懂京剧吗？ ______
3. 汉娜觉得京剧的表演怎么样？ ______
4. 汉娜喜欢京剧的什么？ ______

跟我读，学生词（二） 38

New Words II

1.	讲座	jiǎngzuò	*n.*	lecture
2.	站	zhàn	*v.*	stand, be on one’s feet
3.	着	zhe	*part.*	*used after a verb to indicate the continuation of an action or state*
4.	保安	bǎo’ān	*n.*	security personnel, security guard

5. 安全	ānquán	*adj.*	safe, secure
6. 可惜	kěxī	*adj.*	unfortunate, what a pity
7. 教授	jiàoshòu	*n.*	professor
8. 专门	zhuānmén	*adv.*	specially
9. 国外	guówài	*n.*	overseas, abroad
10. 讲	jiǎng	*v.*	speak, talk, tell
11. 精彩	jīngcǎi	*adj.*	brilliant, wonderful
12. 场	chǎng	*m.*	*used for sports or recreational events, etc.*
13. 出发	chūfā	*v.*	set out, leave, depart

课文（二）

39

Text II

（听讲座的人太多，友美和汉娜进不去了。友美在门口遇见了马丁）

马丁：友美，你也来听讲座？

友美：马丁，你也来了。我们已经进不去了。

马丁：为什么？

友美：里面人太多了。

马丁：我们可以站着听。

友美：不行，已经有很多人站着了。门口的保安说，为了安全，不能再进人了。

马丁：真可惜，要是早一点儿来就好了。

友美：是啊，我听说这位教授是专门从国外请来的，都说他讲得特别精彩。

马丁：没关系，周六早上他在市图书馆还有一场讲座，我们一起去？

友美：早上几点？你起得来吗？

马丁：没问题，9点的讲座，我7点起床，我们7点半就出发。

友美：好，我们早一点儿去，要是再进不去就没机会听了。

边学边练 *Practice to learn*

1. 保安为什么不让他们进去？ ______
2. 这位教授讲得怎么样？ ______
3. 教授下次讲座是什么时候？在哪里？ ______
4. 马丁打算几点起床？几点出发？ ______

功能句
Functional Sentences

【转述】 To relate something as told by another person

1. 中国朋友告诉我，他们也要看旁边的字幕才明白。
2.（我）听朋友说，他们的化妆很有特点。
3. 我朋友告诉我，那叫"脸谱"。
4. 门口的保安说，为了安全，不能再进人了。

【喜欢、爱 / 不喜欢】 To express fondness, love and dislike

1. 我喜欢他们的衣服，也喜欢他们的化妆。
2. 我不太喜欢看电视。
3. 他爱唱歌，也喜欢跳舞。
4. 我就不爱逛商店。
5. 我对他们的脸谱特别有兴趣。

【后悔】 To express regret

1. 真可惜。
2. 要是早一点儿来就好了。

课堂活动与练习
Classroom Activities and Exercises

一、语音练习 *Pronunciation*

百闻不如一见。

Bǎi wén bùrú yí jiàn.

注意	zhùyì	pay attention	注意安全	请大家注意
声（音）	shēng(yīn)	sound, voice	小点儿声	听不到声音
座位	zuòwèi	seat	一个空座位	没有座位了

二、大声读一读 *Read aloud*

词语 / 句式 Words/structures	例子 Examples	请你给出更多例子 More examples
明白	不明白　听明白了 说得很明白	
虽然…… 但（是）……	虽然有点儿难，但是有意思。 虽然他学汉语时间不长，但说得不错。 颜色虽然不太好，但是价格便宜。	
v. + 着	站着　拿着　笑着说 听着音乐看书	
安全	安全很重要　这里很安全。 注意安全！	
可惜	太可惜了　可惜我没明白。 我一点儿都不觉得可惜。	
专门	专门送给他　专门到这里来学习	
v. + 得 / 不 +……	起得来　起不来 进得去　进不去 听得懂　听不懂	

三、替换词语说句子 *Substitution drills*

1. A：你听得懂京剧吗？
   B：听不懂。

看得懂	中文书	看得懂
听得明白	他说的话	听不明白
看得见	前边的字	看得见

2. A：中国朋友告诉我，那个地方特好玩儿。
   B：那咱们也去。

那个小区很安静	我	想住那儿
这个搬家公司不错	我们	找他们
那家饭馆的菜很好吃	咱们	去那儿

3. A：他们的表演怎么样？
   B：虽然我听不懂，但（是）我喜欢。

明天天气	是阴天	不冷
这件衣服	样子不错	颜色太浅
我的发音	进步很大	还要努力

4. A：听朋友说，他们的化妆很有特点。
   B：对，很特别。

表演	精彩极了
脸谱	跟别人都不一样
讲座	很吸引人

5. A：咱们进不去了。
   B：为什么？
   B：听保安说，里面已经满了。
   A：太可惜了。

已经没有座位了
今天人太多了
票已经卖完了

6. A：今天进不去了。

B：真可惜，要是早一点儿来就好了。

苹果没有了	昨天多买几个
展览昨天就完了	早几天来
他们已经出发了	我早点儿到

四、练一练：完成对话 *Complete the following dialogues*

1. A：昨天给你打电话，你不在。

B：哦，________________________。

A：怎么样？听得懂吗？

B：________________________。 [京剧　懂]

2. A：你________________________？

B：京剧？一点儿都________________________，他们说的话很特别。

A：我的中国朋友也这么说。

B：对，他们也要看________________________。 [听　字幕　明白]

3. A：你昨天看京剧，他们的________________________？

B：他们的表演很有特点。

A：你喜欢吗？

B：________________________。 [表演　虽然……但是……]

4. A：你听不懂京剧，为什么还那么喜欢啊？

B：我喜欢他们的____________________，也喜欢____________________。

A：听朋友说，他们的脸上红的、绿的、白的、黑的，什么颜色都有。

B：对，他们的化妆________________，这就是京剧的________________。

[衣服　化妆　特点　脸谱]

5. A：你来听讲座，为什么不进去啊？

B：________________，里面人太多了。

A：没有座位了吗？

B：对，已经有很多人________________。

A：________________，要是________________就好了。

[进　站着　可惜　早]

6. A：今天的讲座你听了吗？怎么样？

B：我听了下午那一场，他________________。

A：他是我们学校的老师吗？

B：不是，听说________________。

[讲　精彩　专门]

7. A：明天几点起床？7点，行吗？

B：7点？________________？

A：我起得来，你呢？

B：________________，7点半吧。

A：好，7点半一定要起床，我们________________。

[起得来　起不来　出发]

五、小组活动　*Group work*

填表说一说　Fill in the table and talk about it.

京剧的特点	
说的话	
字幕	
化妆	
表演	
听得懂吗	

任务一：根据课文填写更多信息。

Task 1: Fill in the table with more information from the texts.

任务二：角色表演。你和朋友去看一场免费的京剧，可是到门口时，保安告诉你们不能进去了。

Task 2: Role-play. You go to see a free Beijing opera show with your friend, but you're stopped by a security guard at the entrance who tells you you can't go in.

六、复习与表达 *Review and presentation*

1. 双人对话　Pair work: Make dialogues.

A	B
汉娜，昨天给你打电话，你不在。	
	一点儿都听不懂。
听说，有的中国人也听不懂。	
一边看字幕一边听，这样不错。	
	他们的表演很有特点。
你喜欢京剧吗？	
听不懂还喜欢，为什么？	
听说，他们的化妆很有特点。	
友美，你也来听讲座？	
为什么？	
	不行，已经有很多人站着了。
真可惜，要是早一点儿来就好了。	
	早上几点？你起得来吗？
我 7 点起床，我们 7 点半出发。	

2. 课堂展示　Presentation

说一说你看过或听过的一场京剧、一次表演或一个讲座。

Talk about a Beijing opera performance or a show you've seen or listened to, or a lecture you've attended.

参考词语和句式

演员　表演　特点　化妆　脸谱　专门　站着

讲　精彩　教授　虽然……但是……　一边……一边……

听得懂 / 听不懂　进得去 / 进不去　听说　听……说

挑战自我
Challenge Yourself

一、词语扩展任务 *Vocabulary building task*

仿照例子做扩展练习。

Read aloud and do the exercises following the examples.

练习一

脸　头　手　嘴
（列举更多与身体部位相关的词语　Try to give more words or phrases related to body parts）

演员　电影　京剧
（列举更多与表演艺术相关的词语　Try to give more words or phrases related to the art of performance）

保安　警察　海关
（列举更多与安全相关的词语　Try to give more words or phrases related to security）

练习二

精彩	很精彩　太精彩了　精彩极了 不精彩　一点儿也不精彩 电影很精彩。　我觉得他表演得非常精彩。
新鲜	（Try to use "新鲜" with "很", "太", "极了", "不", "一点儿" and "觉得"）

二、交际任务　*Communicative task*

跟你的中国朋友一起看一场京剧或看一段京剧视频，说一说你的想法。

Watch a show or video of Beijing opera with your Chinese friend and then tell what you think about it.

这些话，我能脱口而出

我怎么也睡不着

I couldn't fall asleep no matter how

跟我读，学生词（一） 41

New Words I

1.	脸色	liǎnsè	*n.*	complexion, face
2.	夜里	yèlǐ	*n.*	night, nighttime
3.	楼上	lóushang		upstairs
4.	邻居	línjū	*n.*	neighbor
5.	唱	chàng	*v.*	sing
6.	跳	tiào	*v.*	dance
7.	怎么	zěnme	*pron.*	(*used to indicate the general condition or manner of sth.*) no matter how
8.	着	zháo	*v.*	*used as the complement of a verb to indicate the result of an action*
9.	一	yī	*num.*	whole, all
10.	天哪	tiān na		oh my god, good heavens
11.	睡懒觉	shuì lǎnjiào		sleep in, sleep late

课文（一） 42

Text I

（星期五，大中在路上遇见汉娜）

大中：汉娜，你的脸色好像不太好。

汉娜：哦，可能是因为昨天夜里没睡好。

大中：身体不舒服吗？

汉娜：不是。都是因为我楼上的邻居。

大中：你的邻居怎么了？

汉娜：他家昨天开晚会，又唱又跳，声音特别大，我怎么也睡不着，所以看了一晚上电视。

大中：他们的晚会是几点结束的？

汉娜：好像3点多，我快4点了才睡。

大中：天哪，那么晚！今天回去好好儿休息。明天星期六，没有课，你可以好好儿睡，不用起床。

汉娜：对，可以睡个懒觉。

边学边练 *Practice to learn*

1. 汉娜怎么了？ ____________________
2. 汉娜昨天几点睡的？ ____________________
3. 昨天汉娜的邻居干什么了？ ____________________
4. 什么叫“睡懒觉”？ ____________________

跟我读，学生词（二） 43

New Words II

1.	提	tí	*v.*	mention, bring up
2.	弹	tán	*v.*	play (a musical instrument with one's fingers)
3.	钢琴	gāngqín	*n.*	piano
4.	同意	tóngyì	*v.*	agree, approve
5.	孩子	háizi	*n.*	child, son or daughter
6.	楼下	lóuxia		downstairs
7.	困	kùn	*adj.*	sleepy, tired
8.	只好	zhǐhǎo	*adv.*	have to, be forced to
9.	了	liǎo	*v.*	*used in “得了” and “不了” to indicate possibility and impossibility*
10.	礼貌	lǐmào	*adj.*	courteous, polite
11.	杯	bēi	*n.*	cup, glass

课文（二） 

Text II

（星期一，大中又遇见汉娜）

大中：汉娜，昨天休息得怎么样？

汉娜：别提了，我原来打算早上睡个懒觉，可是刚7点，旁边的邻居就开始弹钢琴。

大中：啊？这么早弹钢琴？

汉娜：是啊，所以我去找他们，请他们晚一点儿再弹。

大中：他们同意了？

汉娜：邻居说，他的孩子星期天有钢琴考试，得好好儿准备，对不起了。

大中：真没办法。那你就晚上再睡吧。

汉娜：我也这么想。没想到，晚上，楼下的邻居又开晚会。虽然我特别困，但是还是睡不着，只好又看了一晚上的电视。

大中：啊？那你今天还上得了课吗？肯定一会儿就睡着了。

汉娜：没错。可是，上课睡觉，多不礼貌啊。

大中：那你怎么办？

汉娜：我刚才喝了两杯咖啡，应该没问题。

边学边练 *Practice to learn*

1. 汉娜为什么没能睡懒觉？ ______________________________
2. 邻居的孩子为什么那么早就弹钢琴？ ______________________________
3. 晚上汉娜楼下的邻居干什么了？ ______________________________
4. 汉娜觉得上课能睡觉吗？为什么？ ______________________________

功能句
Functional Sentences

【吃惊】 **To express shock**

1. 天哪，那么晚！
2. 啊？这么早弹钢琴？

【关心】 **To show concern**

1. 你的脸色好像不太好。
2. 身体不舒服吗？
3. 昨天休息得怎么样？
4. 那你怎么办？
5. 你怎么样了？
6. 最近忙吗？

【无奈】 **To express helplessness**

1. 真没办法。那你就晚上再睡吧。
2. 虽然我特别困，但是还是睡不着，只好又看了一晚上的电视。
3. 没办法，只好这样了。

【同意】 **To express agreement**

1. A：啊？这么早弹钢琴？
   B：是啊，所以我去找他们，请他们晚一点儿再弹。
2. A：那你就晚上再睡吧。
   B：我也这么想。
3. A：那你今天还上得了课吗？肯定一会儿就睡着了。
   B：没错。

课堂活动与练习
Classroom Activities and Exercises

一、语音练习 *Pronunciation*

天时不如地利，地利不如人和。

Tiānshí bùrú dìlì, dìlì bùrú rénhé.

卧室	wòshì	bedroom	我的卧室	卧室很大
小说	xiǎoshuō	fiction, novel	一本小说	他最爱看小说。
不像话	bú xiànghuà	unreasonable, absurd, shocking, outrageous	真不像话	这么做很不像话。
清楚	qīngchu	clear, distinct	写得很清楚	看得清楚吗？

二、大声读一读 *Read aloud*

词语 / 句式 Words/structures	例子 Examples	请你给出更多例子 More examples
楼上 / 楼下	卧室在楼上，客厅在楼下。 我住三层 301，他住在我楼上，四层 401。	
怎么也 / 怎么都	怎么也听不懂 我的电脑怎么修都修不好。	
v. + 得 / 不 + 着	睡得着　睡不着 你拿得着上边的书吗？	
一……	一屋子人　一夜没睡 我们一年没见面了。	
提	别提了　别提这件事了。 他的书里提到过这个地方。	
只好	只好明天去　只好慢点儿 没办法，只好听他的。	
v. + 得 / 不 + 了	去得了　去不了 翻译得了　翻译不了	

三、替换词语说句子 *Substitution drills*

1. A：他快4点才睡。

   B：天哪，那么晚！

6点就来了	那么早
这条裤子1000多块	太贵了
把我们刚买的书都卖了	太不像话了

2. A：你的脸色好像不太好，不舒服吗？

   B：没有。昨天没睡觉，看了一晚上电视。

病了吧	看	电影
是不是病了	聊	天儿
身体不舒服吗	看	小说

3. A：周末过得怎么样？

   B：别提了，原来打算睡个懒觉，可是刚7点，邻居就开始弹钢琴。

   A：啊？太不像话了！

早点儿睡	都12点了	朋友还给我打电话
看看小说、听听音乐	一晚上	宿舍都停电
打电话聊聊天儿	一起床	同屋就把我的手机拿走了

4. 昨天晚上我怎么也睡不着。

他的话	听不明白
这本小说	看不懂
这个手机	修不好
那个字幕	看不清楚

5. A：这么早睡觉，你睡得着吗？
   B：可能睡不着，但是可以试试。

这么多酒	喝得了	喝不了
这么难的小说	翻译得了	翻译不了
那么远的东西	看得清楚	看不清楚
睡得那么少	上得了课	上不了

四、练一练：完成对话 *Complete the following dialogues*

1. A：你的脸色好像不太好。
   B：哦，可能是 ________________。
   A：身体不舒服吗？
   B：不是，都是因为 ________________。 [夜里 楼上]

2. A：你的邻居怎么了？
   B：他家开晚会，声音特别大，我 ________________。
   A：那你怎么办？
   B：________________。 [怎么也 一晚上]

3. A：我昨天快4点才睡。
   B：________________。今天回去好好儿休息。
   A：明天没有课，可以好好儿睡，________________。
   B：对，可以 ________________。 [天哪 不用 睡懒觉]

4. A：你为什么起那么早？
   B：因为早上刚7点，________________。
   A：啊？这么早弹钢琴？太不像话了。
   B：是啊，所以我去找他们，________________。

A：他们同意了吗？

B：他们说，孩子有钢琴考试，________________。

［弹钢琴　晚一点儿　好好儿］

5. A：你昨天睡那么晚，今天________________？

B：不知道，可能________________。

A：那可不行，上课睡觉，________________。

B：我刚才喝了________________，应该没问题。

A：好，那我们现在就去吧。

［上得了　睡着了　礼貌　杯］

五、小组活动 *Group work*

填表说一说　Fill in the table and talk about it.

汉娜的邻居	干什么了
楼上的	
旁边的	
楼下的	

任务一：根据课文填写更多信息。

Task 1: Fill in the table with more information from the texts.

任务二：说一说，如果你是汉娜，你会怎么办。

Task 2: If you were Hannah, what would you do?

六、复习与表达 *Review and presentation*

1. 双人对话　Pair work: Make dialogues.

A	B
	哦，可能是因为昨天夜里没睡好。
身体不舒服吗？	
你的邻居怎么了？	

好像3点多结束的，我快4点才睡。

天哪，太晚了！今天回去好好儿休息。

昨天休息得怎么样？

那你去找他们，让他们晚点儿弹。

我也这么想。可是，没想到……

他们又开始弹钢琴了？

肯定一会儿就睡着了。

那你怎么办啊？

2. 课堂展示　Presentation

角色扮演　Role-play

（1）汉娜和楼上邻居的谈话

（2）汉娜和旁边邻居的谈话

（3）汉娜和楼下朋友的谈话

参考词语和句式

脸色　夜里　才　好好儿　不用　睡懒觉

弹钢琴　困　礼貌　只好　又……又……

睡不着　虽然……但是……

挑战自我
Challenge Yourself

一、词语扩展任务　*Vocabulary building task*

仿照例子做扩展练习。

Read aloud and do the exercises following the examples.

练习一

睡得着	他睡着了。　我还没睡着。 我睡不着。　我困极了，可是怎么也睡不着。 你睡得着吗？　我睡得着。　我能睡着。 他睡着一会儿了。　他刚睡着。 他睡没睡着？　他睡着没睡着？
看得着	（Try to use "了", "没", "能" and "不"）
累不着	（Try to use "了", "没" and "得"）

v./adj.+得/不+着	吃得着｜吃不着　打得着车｜打不着车
	（Try to use the structure with more verbs or adjectives）

练习二

上得了课	上得了课　　上不了课 他病了，今天的课上不了了。 明天的课你上得了吗？
喝得了	（Try to use “不”，“了 (le)” and “吗”）
完不了	（Try to use “得”，“了 (le)” and “吗”）

v.+得/不+了	卖得了｜卖不了　写得了｜写不了
	（Try to use the structure with other verbs）

二、交际任务 *Communicative task*

小调查：你的朋友们和他们邻居的关系怎么样？为什么？

Survey: How do your friends get along with their neighbors? Why?

朋友	和邻居的关系	为什么

这些话，我能脱口而出

10 地铁比公共汽车快
The subway is faster than the bus

跟我读，学生词（一） 46
New Words I

1.	外语	wàiyǔ	*n.*	foreign language
2.	学院	xuéyuàn	*n.*	college, institute
3.	博物馆	bówùguǎn	*n.*	museum
4.	然后	ránhòu	*conj.*	afterwards, then
5.	比	bǐ	*prep.*	than, (superior or inferior) to
6.	麻烦	máfan	*adj.*	troublesome, inconvenient
7.	大约	dàyuē	*adv.*	about, around, approximately
8.	没有	méiyǒu	*v.*	be not as… as…
9.	过	guò	*v.*	cross, pass
10.	马路	mǎlù	*n.*	road, street

专有名词　Proper Noun

外语学院	Wàiyǔ Xuéyuàn	Institute of Foreign Languages

课　文（一） 47

Text I

（马丁在向李雪问路）

马丁：李雪，我下午要去外语学院看朋友，应该怎么坐车啊？

李雪：外语学院？你先坐25路，到博物馆下车，然后再坐320路就到了。

马丁：还要换车，是吗？

李雪：对，外语学院挺远的。

马丁：坐地铁到得了吗？我觉得地铁比公共汽车快。

李雪：地铁到不了外语学院，下了地铁你也要换车，或者走路。

马丁：换车太麻烦了。走路要走多远？

李雪：大约走15分钟吧。

马丁：那么远啊。

李雪：或者打车，不过打车要比坐地铁贵得多。

马丁：骑车呢？骑车怎么样？

李雪：其实，坐什么车都没有骑车方便，可是从我们这儿到外语学院太远了。

马丁：我还是坐地铁吧。学校门口有地铁吗？

李雪：有，从学校东门出去，过马路就是。

边学边练 *Practice to learn*

1. 去外语学院怎么坐车？ ____________________
2. 坐地铁去外语学院可以吗？ ____________________
3. 骑车去外语学院怎么样？ ____________________

跟我读，学生词（二） 48

New Words II

1.	师傅	shīfu	*n.*	(*polite title for master workers*) master
2.	购物	gòuwù	*v.*	shop, go shopping
3.	中心	zhōngxīn	*n.*	center
4.	堵车	dǔchē	*v.*	traffic jam
5.	约	yuē	*v.*	make an appointment
6.	河边	hébiān	*n.*	river bank, riverside
7.	不仅	bùjǐn	*conj.*	not only, not just
8.	而且	érqiě	*conj.*	and, (not only…) but also
9.	红绿灯	hónglǜdēng	*n.*	traffic lights, traffic signals
10.	十字路口	shízì lùkǒu		crossroads, intersection

	路口	lùkǒu	*n.*	crossing, intersection
11.	发票	fāpiào	*n.*	receipt, invoice

课文（二） 49

Text II

汉娜：师傅，我们到购物中心要多长时间？

司机：不堵车的话，大约20分钟；要是堵车，就不知道了。

汉娜：我跟朋友约好了5点见面，我不想迟到。有没有快一点儿的路？

司机：河边有一条路，一般不堵车，不过那条路比这条路远。

汉娜：远一点儿没关系，不堵车就可以。

司机：那我们就不走市中心了，我们走河边那条路吧。

汉娜：好，听您的。

司机：我喜欢走河边那条路，不仅车少，而且红绿灯也少，所以走那边比走这边快得多。

汉娜：那我们就走那条路吧，越快越好。

（20分钟后）

司机：前边就是购物中心，给您停哪儿？

汉娜：停在十字路口这边就可以，谢谢。您走的这条路真好，一点儿也不堵车。

司机：没迟到吧？

汉娜：没有，谢谢。给您钱。

司机：给您发票，别忘了拿上自己的东西。

边学边练 *Practice to learn*

1. 汉娜跟朋友是怎么约的？ ____________________
2. 出租车司机为什么要走比较远的路？ ____________________
3. 司机为什么喜欢走河边的路？ ____________________
4. 汉娜下车时，司机告诉她什么？ ____________________

功能句
Functional Sentences

【比较】 **To make a comparison**

1. 我觉得地铁比公共汽车快。
2. 打车要比坐地铁贵得多。
3. 坐什么车都没有骑车方便。

【问路】 **To ask the way**

1. 我下午要去外语学院看朋友，应该怎么坐车啊？
2. 还要换车，是吗？
3. 坐地铁到得了吗？
4. 换车太麻烦了。走路要走多远？
5. 骑车怎么样？
6. 学校门口有地铁吗？

【提醒】 **To remind someone of something**

1. 前边就是购物中心。
2. 别忘了拿上自己的东西。
3. 该下车了。
4. 到了。

课堂活动与练习
Classroom Activities and Exercises

一、语音练习 *Pronunciation*

车到山前必有路。

Chē dào shān qián bì yǒu lù.

决定	juédìng	decide	我决定骑车去。	他还没有决定。
情况	qíngkuàng	situation	情况怎么样?	这里的情况我们都了解。
提醒	tíxǐng	remind, warn	请你提醒他一下。	他提醒我别忘了东西。

二、大声读一读 *Read aloud*

词语 / 句式 Words/structures	例子 Examples	请你给出更多例子 More examples
然后	我先想想，然后再决定。 我们先看电影，然后再去书店。	
比	我比他高。 他比我大两岁。 今天比昨天冷多了。	
大约	大约 20 分钟 大约 200 米 大约十六七岁	
没有	他没有我高。 这儿没有那儿冷。 这本书没有那本书好看。	
过	过河 过桥 过马路要小心车。	
(不仅)…… 而且……	他不仅会唱歌，而且会跳舞。 他没来，而且也没打电话。	

三、替换词语说句子 *Substitution drills*

1. 我觉得地铁比公共汽车快。

这个小区	那个小区	安静
那个电影	这个电影	有意思
这个学期	上个学期	紧张

2. 打车比坐地铁贵得多。

他	我	高
我的房间	他的房间	整齐
郊外	公园	好玩
经贸大学	外语学院	远

3. 坐什么车都没有骑车方便。

买什么礼物	送花	合适
什么水果	苹果	好吃
什么	京剧	好看

4. 先坐25路，然后再换320路。

商量商量	决定怎么办
到上海开会	去西安参观
找好房子	想搬家的事儿

5. A：你说我们走哪条路？
   B：这条路不仅车少，而且红绿灯也少。
   A：听你的，走这条路吧。

河边的路	不堵车	还近一点儿	走河边的路吧
市中心	车多	自行车也多	不走市中心
新修的路	车少	人也少	走新修的路吧

6. A：我们去外语学院，怎么走好？

B：还是坐地铁吧，快，而且人也不多。

郊外	骑车	锻炼身体	路上风景也好
老师家	走路	不远	坐车人太多
博物馆	打车	那条路不堵车	红绿灯也少

四、练一练：完成对话 *Complete the following dialogues*

1. A：我要去外语学院，应该怎么坐车啊？

B：________________，到博物馆下车，________________，就到了。

A：还要换车啊？

B：是啊，外语学院________________。 ［先　然后　挺］

2. A：坐地铁到得了外语学院吗？

B：________________，你下了地铁还要换车。

A：地铁和公共汽车，哪个快？

B：________________。 ［到不了　比］

3. A：你不喜欢坐地铁的话，可以打车去。

B：________________。

A：是，打车比较贵。那你骑车怎么样？

B：________________。我就骑车吧。 ［……得多　什么　没有］

4. A：师傅，我们到购物中心要多长时间？

B：________________；堵车的话，就不知道了。

A：有没有不堵车的路啊？

B：新修的一条路不堵车，不过＿＿＿＿＿＿＿＿＿。

A：远一点儿没关系。 ［……的话　大约　比］

5. A：师傅，我快迟到了，有没有快一点儿的路？

B：河边有一条路，＿＿＿＿＿＿＿＿＿，＿＿＿＿＿＿＿＿＿。

A：那我们走那条路吧。

B：可是那条路有点儿远。

A：没关系，＿＿＿＿＿＿＿。 ［不仅……而且……　越……越……］

6. A：马上到了，给您停哪儿？

B：＿＿＿＿＿＿＿＿＿就可以，谢谢。

A：这条路又快又好吧？

B：没错，＿＿＿＿＿＿＿＿＿。谢谢，给您钱。

A：给您发票，＿＿＿＿＿＿＿＿＿。 ［停　堵车　别忘了］

五、小组活动　*Group work*

填表说一说　Fill in the table and talk about it.

去哪儿 / 怎么去	外语学院	购物中心	别的你要去的地方，如：＿＿＿＿＿＿
办法 1			
办法 2			
办法 3			

任务一：根据课文填写更多信息。

Task 1: Fill in the table with more information from the texts.

任务二：互相问路，请对方推荐去那里的最好方法。

Task 2: Ask each other the way to somewhere as well as the best method to get there.

六、复习与表达 *Review and presentation*

1. 双人对话 Pair work: Make dialogues.

A	B
	去外语学院啊，你先坐25路到博物馆下车，然后再坐320路就到了。
还要换车，是吗？	
	坐地铁到不了，下了地铁也要换车，或者走路。
走路要走多远？	
还能坐别的车吗？	
骑车怎么样？	
我还是坐地铁吧。门口有地铁吗？	
	不堵车的话，大约20分钟。
	河边有一条路，一般不堵车，不过远一点儿。
远一点儿没关系，不堵车就可以。	
走河边这条路快吗？	
到了。给您停哪儿？	

2. 课堂展示 Presentation

选择一个题目说一说。

Choose one of the following topics and talk about it.

（1）从你家到市中心怎么走？

（2）从学校到郊外怎么走？

（3）从学校到本市最大的博物馆怎么走？

（4）从宿舍到一个同学的家怎么走？

参考词语和句式

下车　换车　麻烦　大约　过马路　堵车
市中心　到得了　到不了　师傅　先……然后……
……比……　还是……吧　不仅……而且……

挑战自我
Challenge Yourself

一、词语扩展任务　*Vocabulary building task*

仿照例子做扩展练习。

Read aloud and do the exercises following the examples.

练习一

麻烦	很麻烦　不麻烦　有点儿麻烦
	（列举更多带"麻烦"的短语　Try to give more phrases with "麻烦"）

练习二

约	约会　约定 约好了　没约好　约好了吗？ 约好时间了　跟同学约好了 我们约个时间。他们约在机场见面。你约约试试，看他有没有时间。
做	（Try to use "做" with "了"，"没"，"过"，"好" and "跟" or to use its reduplicate form）

<table>
<tr><td>堵车</td><td>堵车了　　　　没堵车
这里经常堵车。　　　　这条路不堵车。
不太堵车　　　　有点儿堵车
路上堵没堵车？　　　　路上堵车没堵车？
堵了一个小时（的车）</td></tr>
<tr><td>走路</td><td>（Try to use “走路” with “了”，“没”，“不”，“经常”，“小时” and “分钟”）</td></tr>
</table>

二、交际任务 *Communicative task*

和出租车司机聊一聊你经常去的几个地方，请他给你推荐几条好的路线。

Chat with a taxi driver about a few places you usually go to and ask him to recommend some better routes to these places.

从……	到……	最好的路线

这些话，我能脱口而出

11 去药店不如去医院

It would be better to go to the hospital than to the drugstore

跟我读，学生词（一） 51

New Words I

1.	喂	wèi	*int.*	hello, hey
2.	选修	xuǎnxiū	*v.*	take as an elective course
3.	请假	qǐngjià	*v.*	ask for leave
4.	肚子	dùzi	*n.*	abdomen, belly, stomach
5.	发烧	fāshāo	*v.*	have a fever
6.	药店	yàodiàn	*n.*	pharmacy, drugstore
7.	药	yào	*n.*	medicine
8.	不如	bùrú	*v.*	be not as good as, be not equal to
9.	检查	jiǎnchá	*v.*	check, examine
10.	社区	shèqū	*n.*	community
11.	赶快	gǎnkuài	*adv.*	quickly, immediately

专有名词 Proper Noun

吴	Wú	*a surname*

课　文（一） 52

Text I

（马丁在给老师打电话请假）

马丁：喂，请问是吴老师吗？

老师：对，是我。

马丁：老师，您好。我是您的学生马丁，我上您的电影选修课。

老师：哦，马丁，有事吗？

马丁：今天下午的课，我能请假吗？

老师：你怎么了？

马丁：我身体不舒服。今天上午一直肚子疼，现在好像还有点儿发烧。

老师：去医院了吗？

马丁：没有，我想去药店买点儿药。

老师：不行，去药店不如去医院，医院的医生可以好好儿帮你检查一下。

马丁：老师，学校附近有医院吗？

老师：大医院都离得比较远，学校西门外边有个社区医院，虽然比较小，但是医生都不错。

马丁：哦，我好像看见过。谢谢老师。

老师：你赶快去吧。看完病，回去好好儿休息。

边学边练 *Practice to learn*

1. 马丁为什么要请假？ ________________
2. 马丁去医院了吗？他想怎么办？ ________________
3. 老师为什么让他去医院？ ________________
4. 老师告诉他可以去哪里的医院？ ________________

跟我读，学生词（二） 53

New Words II

1.	感冒	gǎnmào	*v.*	catch a cold
2.	腿	tuǐ	*n.*	leg
3.	受伤	shòushāng	*v.*	be injured, be wounded
4.	厉害	lìhai	*adj.*	terrible, serious
5.	严重	yánzhòng	*adj.*	serious, critical
6.	住院	zhùyuàn	*v.*	be in hospital

7.	照顾	zhàogu	*v.*	look after, take care of
8.	撞	zhuàng	*v.*	bump against, crash
9.	倒	dǎo	*v.*	fall over, topple
10.	恢复	huīfù	*v.*	recover, restore
11.	转告	zhuǎngào	*v.*	pass on (words), transmit (a message)

课文（二） 54

Text II

（汉娜帮杰森向老师请假）

汉娜：老师，杰森让我帮他请假。

老师：他怎么了？病了吗？

汉娜：他感冒了，而且他的腿也受伤了。

老师：啊，厉害吗？

汉娜：他的感冒很厉害，不过，他的腿不太严重。

老师：他去医院了吗？

汉娜：去了，医生让他住院，可是他不同意。

老师：为什么？

汉娜：他说，医院不如家里方便，家里有人照顾他。

老师：他的腿是怎么受伤的？

汉娜：前天打球的时候，他和别人撞在一起，摔倒了。

老师：现在好点儿了吗？

汉娜：今天好多了，他说他下星期就能来上课了。

老师：你们运动的时候一定要小心。告诉他，让他在家好好儿休息，希望他早点儿恢复。

汉娜：好的，老师，我一定转告他。

边学边练 *Practice to learn*

1. 杰森怎么了？ ______
2. 医生怎么说？ ______
3. 杰森为什么不住院？ ______
4. 杰森现在怎么样？什么时候能来上课？ ______
5. 汉娜要转告杰森什么？ ______

功能句
Functional Sentences

【询问原因或理由】 **To ask for the cause or reason**

1. A：今天下午的课，我能请假吗？
   B：你怎么了？
2. A：医生让他住院，可是他不同意。
   B：为什么？
3. A：他的腿是怎么受伤的？
   B：前天打球的时候，他和别人撞在一起，摔倒了。

【关心】 **To show concern**

1. 他怎么了？病了吗？
2. 病得厉害吗？
3. 去医院了吗？
4. 现在好点儿了吗？
5. 让他在家好好儿休息。

【比较】 **To make a comparison**

1. 去药店不如去医院，医院的医生可以好好儿帮你检查一下。
2. 医院不如家里方便，家里有人照顾他。
3. 今天天气不如昨天好。

4. 公共汽车不如地铁快。

5. 坐什么车都不如骑车方便。

课堂活动与练习
Classroom Activities and Exercises

一、语音练习 *Pronunciation*

饭后百步走，活到九十九。

Fàn hòu bǎi bù zǒu, huódào jiǔshíjiǔ.

咳嗽	késou	cough	他感冒了，还咳嗽。	我咳嗽得厉害，得去医院。
嗓子	sǎngzi	throat	嗓子疼	我今天嗓子不好，说不出话。
全	quán	entire, complete	全中国	颜色很全，什么颜色的都有。
死	sǐ	die	花儿死了，树没死。	那儿撞车了，还死了一个人。

二、大声读一读 *Read aloud*

词语 Words	例子 Examples	请你给出更多例子 More examples
请假	到公司请假　跟老师请假 我请了三天假。	
不如	走路不如骑车。　我的听力不如你。 他的身体一年不如一年。	
赶快	赶快来　赶快帮帮我 赶快把书包拿来。	
受伤	他受伤了。　我受过伤。 有人受过两次伤。	
厉害	咳嗽很厉害　天热得厉害	
照顾	照顾病人　照顾好你自己 车上的座位要先照顾老人和孩子。	
倒（dǎo）	瓶子倒了。　风把树刮倒了。 路上都是雪，有人摔倒了。	

三、替换词语说句子 *Substitution drills*

1. A：老师，今天的课我能请假吗？
   B：为什么？
   A：我妈妈来中国了，我想陪她玩儿一天。

为什么	有点儿不舒服	去看病
怎么了	同屋病了	陪她去医院
你怎么了	还在发烧	好好儿休息休息

2. A：你怎么了？
   B：我有点儿不舒服，感冒，还有点儿咳嗽。
   A：去医院了吗？
   B：我想去药店买点儿药。
   A：去药店不如去医院好，还是去医院吧。

身体不太好	嗓子疼	发烧	不如
受伤了	踢球摔了一下	感冒	没有
病了	头疼、肚子疼	咳嗽	没有

3. A：学校附近有医院吗？
   B：学校旁边有个社区医院，虽然比较小，但是医生都不错。

超市	小超市	东西很全
公园	小公园	也挺不错
饭馆	小饭馆	饭菜很好吃

4. A：他嗓子疼，好像感冒了。
   B：厉害吗？
   A：今天比昨天厉害。
   B：赶快去医院吧。

感冒了	还发烧	越来越严重了
腿受伤了	特别疼	好像挺厉害的
肚子疼	还老去卫生间	比上午严重得多

5. A：他怎么了？
   B：摔倒了，腿受伤了。

电视	坏	没有声音
花瓶	碎	花儿也死
手机	坏	没法用

6. A：告诉杰森，好好儿休息。
   B：好的，我一定转告。

希望他早点儿恢复	告诉他
明天早点儿来	告诉他
我们都欢迎他	转告

四、练一练：完成对话 *Complete the following dialogues*

1. A：老师，您好！我是您的学生丁丁。
   B：哦，丁丁，________________？
   A：我病了，下午的________________？
   B：可以请假，你________________。 [事　请假　好好儿]

2. A：你怎么了？
   B：我身体________________，一直________________。
   A：你去医院了吗？

B：我不想去，我想 ________________。

A：你最好还是去医院。 [舒服　肚子　药店]

3. A：丁丁，________________？

B：我头疼，好像 ________________。

A：那你去医院看看吧。

B：去药店买点儿药就行吧？

A：________________，医生可以 ________________。

[怎么　发烧　不如　检查]

4. A：丁丁来了吗？

B：老师，他没来，________________。

A：他怎么了？

B：他病了，________________。

A：现在感冒的人很多，你们都要注意。 [请假　感冒　厉害]

5. A：喂，是吴老师吗？

B：我就是。

A：老师，我是丁丁，今天的课 ________________。

B：你怎么了？

A：昨天打球的时候，________________。

B：受伤了吗？

A：我的腿受伤了，不过 ________________。

B：那你别来上课了，好好儿休息，早点儿恢复。

[……不了　撞　摔倒了　严重]

6. A：他病得厉害吗？

B：很厉害，医生 ________________。

A：那就住院吧。

B：他不同意，他说 ________，________。

A：家里有人就好多了。请你 ________，以后一定要小心。

［住院　不如　照顾　转告］

五、小组活动　*Group work*

角色扮演　Role-play

（1）你病了，给老师打电话请假。

（2）你的同屋受伤了，你帮他向老师请假。

六、复习与表达　*Review and presentation*

1. 双人对话　Pair work: Make dialogues.

A	B
老师，您好。我是……，我上您的选修课。	
	你怎么了？
你对这里习惯了吗？	
	去医院了吗？
我想去药店买点儿药。	
	不熟悉，我也没去过那个地方。
附近有医院吗？	
	杰森他怎么了？病了吗？
他的腿受伤了。	
医生让他住院，他不同意，他要回家。	
他说家里有人照顾他。	
	谢谢你告诉我。

2. 课堂展示 Presentation

选择一个题目说一说。

Choose one of the following topics and talk about it.

（1）要是你病了，你怎么办？

（2）你去这里的医院看病。

（3）他受伤了。

（4）你帮朋友请假。

参考词语和句式

不舒服	一直	肚子疼	感冒	头疼	发烧	
厉害	严重	住院	受伤	腿	摔倒	撞
医院	药店	药	检查	照顾	恢复	
虽然……但是……	附近	赶快	……不如……			

挑战自我
Challenge Yourself

一、词语扩展任务 *Vocabulary building task*

仿照例子做扩展练习。

Read aloud and do the exercises following the examples.

练习一

发烧 感冒 头疼
（列举更多与生病相关的词语 Try to give more words or phrases related to illnesses）

练习二

药	西药　吃药　农药
	（列举更多带“药”的词语　Try to give more words or phrases with “药”）

练习三

请假	请假了　没请假　不能请假 请过假　没请过假　请了一次假　请过几次假 请个假　请了假　请好假了 跟老师请假　请替我跟老师请个假。 请假没请假？　请没请假？
受伤	（Try to use “受伤” with “了”, “没”, “过”, “一次”, “一点儿” and “别”）

照顾	照顾孩子	照顾父母	
	照顾了	没照顾	他一直在照顾老人。
	他照顾了我两年。	他照顾过那个孩子。	
	回家照顾照顾老人。	照顾得很周到	感谢你对我们的照顾。
	帮我照顾他	照顾得了	照顾不了
转告	(Try to use "转告" with "了", "没", "过", "已经", "帮" and "让")		

二、交际任务 *Communicative task*

向您的中国朋友了解一些常见病和常用药的说法。

Learn some words and expressions of common illnesses and medicines from your Chinese friends.

常见病	常用药

这些话，我能脱口而出

12 家家都是新房子

All the houses are new

跟我读，学生词（一） 56

New Words I

1.	农村	nóngcūn	*n.*	countryside, rural area
2.	做客	zuòkè	*v.*	be a guest
3.	完全	wánquán	*adv.*	entirely, completely
4.	城市	chéngshì	*n.*	city
5.	区别	qūbié	*n.*	difference
6.	条件	tiáojiàn	*n.*	condition, circumstance
7.	娱乐	yúlè	*v.*	entertain, recreation
8.	房子	fángzi	*n.*	house, building
9.	报纸	bàozhǐ	*n.*	newspaper
10.	年轻人	niánqīng rén		young people, youth
	年轻	niánqīng	*adj.*	young
11.	大多	dàduō	*adv.*	mostly, mainly
12.	老人	lǎorén	*n.*	old people, the aged
13.	只	zhǐ	*adv.*	only, just, merely

课　文（一） 57

Text I

（马丁告诉汉娜，他周末去了一趟农村）

汉娜：周末你都做什么了？

马丁：我去了一趟农村，朋友请我去他父母家做客。

汉娜：我还没去过中国的农村呢，怎么样？

马丁：跟我想的完全不一样，我觉得和城市差不多，没什么区别。

汉娜：我也听说，现在的农村和以前不一样了。

马丁：是啊，他们的生活条件很好，购物、娱乐，都很方便，差不多家家都是新房子。

汉娜：这大概就是报纸上说的新农村吧。

马丁：不过那里的人比较少，特别是年轻人少，大多是老人和孩子。

汉娜：哦，年轻人差不多都到城市里去工作或者打工了。

马丁：对，我这个朋友家里就是这样，他和哥哥两个人都在城市里工作，只有父母还在农村。

边学边练 *Practice to learn*

1. 马丁去农村干什么？ ______
2. 马丁看到的农村是什么样子？ ______
3. 那里常住的是什么人？ ______
4. 农村的年轻人大多干什么去了？ ______

跟我读，学生词（二） 58

New Words II

1.	羡慕	xiànmù	*v.*	admire, envy
2.	环境	huánjìng	*n.*	environment
3.	污染	wūrǎn	*v.*	pollute
4.	健康	jiànkāng	*adj.*	healthy
5.	食品	shípǐn	*n.*	food, foodstuff
6.	蔬菜	shūcài	*n.*	vegetable
7.	养	yǎng	*v.*	raise (animals), grow (plants)
8.	只	zhī	*m.*	*used for certain animals, certain containers or one of certain paired things, etc.*

9. 鸡	jī	*n.*	chicken
10. 鸡蛋	jīdàn	*n.*	chicken egg

课　文（二）

Text II

（马丁很羡慕农村的环境和绿色生活）

马丁：我真羡慕生活在农村的人。

汉娜：为什么？你这次去农村又有什么新发现？

马丁：我发现他们那儿的环境比我们这儿好得多。

汉娜：农村的环境当然比城市好了，没有那么多汽车，没有那么多污染。

马丁：要是我们这儿的环境也那么好，该多好啊！

汉娜：我也希望那样。不过，可能不容易。

马丁：他们吃的东西也比我们吃的健康。

汉娜：吃的东西有什么不一样？

马丁：他们吃的都是绿色食品。

汉娜：真是羡慕他们。可是，城市里也能买到绿色食品啊。

马丁：他们吃的是最新鲜的，因为他们一般都自己种蔬菜。

汉娜：对了，他们还可以养几只鸡，天天吃新鲜鸡蛋。

马丁：没错，这种生活多好啊！

边学边练　*Practice to learn*

1. 马丁羡慕农村什么？ ____________________
2. 农村的环境和城里有什么不同？ ____________________
3. 农村人吃的和城里有什么不同？ ____________________

功能句
Functional Sentences

【羡慕】 To show envy

1. 我真羡慕生活在农村的人。
2. 要是我们这儿的环境也那么好，该多好啊！
3. 真是羡慕他们。
4. 这种生活多好啊！

【比较】 To make a comparison

1. A：我还没去过中国的农村呢，怎么样？
   B：跟我想的完全不一样，……
2. 我觉得和城市差不多，没什么区别。
3. 现在的农村和以前不一样了。

【估计】 To make an estimation

1. 这大概就是报纸上说的新农村吧。
2. 可能不容易。

课堂活动与练习
Classroom Activities and Exercises

一、语音练习 *Pronunciation*  

十年树木，百年树人。
Shí nián shù mù, bǎi nián shù rén.

猫	māo	cat	一只黑猫和一只白猫	他养了几只猫。
狗	gǒu	dog	一只狗	他每天带着狗散步。
袜子	wàzi	sock	一只袜子	干净的袜子
鞋	xié	shoe	这只鞋好像比那只小。	一双（shuāng, pair）鞋

二、大声读一读 *Read aloud*

词语 / 句式 Words/structures	例子 Examples	请你给出更多例子 More examples
年轻	年轻人　他很年轻。 我的父母已经不年轻了。	
只（zhǐ）	只来了一个人。　只会说汉语 我只去过上海。	
只（zhī）	一只鸡　两只猫　三只狗 一只袜子　一只鞋	
区别	区别很大　没有区别 这两种方式的区别是什么？	
报纸	一张报纸　一份报纸 看报纸　报纸上说	
污染	环境污染　空气污染 污染很严重。	
多……啊	多好看啊！　多冷啊！ 在家吃饭，多麻烦啊！	

三、替换词语说句子 *Substitution drills*

1. A：他们可以养几只鸡，天天吃新鲜鸡蛋。

   B：这种生活多好啊！

自己种菜	吃新鲜蔬菜	真羡慕他们
8点起床	睡懒觉	我们也能这样，该多好啊
骑着自行车	在郊外玩儿	那多好啊，真羡慕他们

2. A：中国的农村怎么样？

   B：我觉得和城市差不多，没什么区别。

他的词典	我的
马丁的汉语	中国人说的
友美的汉字写得	老师写的

3. A：我还没去过中国的农村呢，怎么样？

B：跟我想的完全不一样。

上海	特别
他们家	一点儿也
他们那个小区	完全

4. 现在的农村，差不多家家都是新房子。

年轻人	个个	很有特点
银行	家家	有网上服务
马路	条条	有不少红绿灯

5. 现在农村年轻人比较少，大多是老人和孩子。

春天北京雨天	晴天
留学生用固定电话的	用手机
现在会唱京剧的年轻人	老人

6. A：要是我们这儿的环境也那么好，该多好啊！

B：可能不容易。

我的汉语也能说得那么好	可能不难吧
大家都坐地铁	大概不太可能
我们也养几只鸡	大概不可以吧

四、练一练：完成对话 *Complete the following dialogues*

1. A：周末我去了一趟农村。

B：是 ______________ 吗？

A：是啊，我以前 ______________ 中国农村，这是第一次。

B：怎么样？

A：跟我想的完全不一样，觉得和城市 ______________。

［区别　没　做客］

2. A：我听说，现在的农村和以前不一样了。

B：是啊，和城市差不多，______________。

A：______________怎么样？

B：购物、娱乐，都很方便，新房子特别多，差不多家家都是新房子。

A：______________。 [完全　区别　条件]

3. A：现在城市里人这么多，农村人一定少吧？

B：是啊，______________年轻人少，农村里______________。

A：哦，年轻人差不多都到城市里______________。可是他们的孩子怎么不和他们在一起呀？

B：听说，工作太忙，有孩子不方便，还有一些是孩子要回去上学。

[大多是　打工　特别是]

4. A：我很______________生活在农村的人。

B：为什么？

A：我觉得他们那儿的环境______________。

B：是这样，我这次去农村______________，那儿没有那么多汽车，污染也少一些。 [好得多　发现　羡慕]

5. A：我们这儿要是环境好一些，空气好一些，汽车少一些，______________！

B：那当然好了。不过，可能______________。

A：我太羡慕农村了。他们吃的东西______________。

B：吃的东西不一样吗？

A：当然不一样了，他们吃的都是绿色食品。

[不容易　健康　该多好啊]

6. A：在城市，超市里的绿色食品也越来越多了。

B：可是在农村，吃的是 ______________，因为 ______________。

A：是，还能 ______________，天天吃新鲜鸡蛋。

B：这种生活多好啊！ [种　养　新鲜]

7. A：你好像很喜欢猫？

B：我 ______________，也喜欢狗，还喜欢鸡。

A：我看你的电脑里有好多它们的照片。

B：对呀，我家 ______________，还有 ______________ 猫和两只狗。

A：那猫不吃鸡吗？

B：不吃啊，在我们家，它们就是朋友。 [养　不仅　只]

五、小组活动　*Group work*

看图说一说　Look at the picture and talk about it.

任务一：说一说这张画儿的内容。

Task 1: Describe the picture.

任务二：说一说你对中国农村生活的看法。

Task 2: Talk about your opinion on the rural life in China.

六、复习与表达 *Review and presentation*

1. 双人对话 Pair work: Make dialogues.

A	B
	我去朋友家了，他们家在农村。
中国的农村怎么样？	
	他们的生活条件挺好的，购物、娱乐，都很方便，和城市没什么区别。
他们住的房子怎么样？	
	对，我朋友家也是这样，他和哥哥两个人都在城市里工作，只有父母还在农村。
我真羡慕生活在农村的人。	
农村的环境就是比城市好，也没有那么多汽车。	
	我也希望污染少一点儿，不过，可能不容易。
农村吃的东西也比我们吃的健康。	
	我们在城市里也能买到绿色食品呀，有什么不一样吗？
他们吃的是最新鲜的，蔬菜可以自己种，鸡可以自己养，鸡蛋也是自己家的。	

2. 课堂展示　Presentation

角色扮演　Role-play

（1）A 刚去了一趟农村回来，给 B 介绍农村的情况。

（2）A 住在城市，B 住在农村。A 很羡慕农村的生活，B 很羡慕城市的生活。

（3）A 不喜欢城市汽车太多，污染也多，B 觉得这些方面还是农村好。

（4）A 觉得农村吃的东西健康、新鲜，B 觉得这些方面也是农村好。

参考词语和句式

完全　城市　区别　生活条件　购物　娱乐

方便　新房子　年轻人　老人　孩子　羡慕

环境　汽车　污染　舒服　好学校　好工作

公园　该多好啊　吃的　健康　绿色　新鲜

自己种　养鸡　鸡蛋

挑战自我
Challenge Yourself

一、词语扩展任务　*Vocabulary building task*

仿照例子做扩展练习。

Read aloud and do the exercises following the examples.

练习一

人	老人　中年人　工人　有钱人
	（列举更多带“人”的词语　Try to give more words or phrases with “人”）

练习二

蔬菜　面包　鸡蛋
（列举更多与食品、蔬菜相关的词语　Try to give more words or phrases of food and vegetables）

练习三

做客	去朋友家做客　　来我家做客　　到老师家做客 欢迎你们来我家做客。 他请我们去做过一次客。 你去他那里做过客吗？　　我没去中国人家里做过客。
聊天儿	（Try to use “聊天儿” with “不”，“没”，“过”，“一次” and “一会儿” or to use its reduplicate form）

二、交际任务　*Communicative task*

小调查：找 5 个中国朋友问一问，他们觉得农村好还是城市好，为什么。

Survey: Which is better, the countryside or the city? Ask five Chinese friends about their opinions and why they think so.

朋友	城市好	农村好	为什么

这些话，我能脱口而出

13 他们都说我包的饺子好吃

They all say that the dumplings I make are delicious

跟我读，学生词（一） 61

New Words I

1.	食堂	shítáng	*n.*	canteen, dining hall
2.	当	dāng	*v.*	be, work as
3.	厨师	chúshī	*n.*	chef, cook
4.	开玩笑	kāi wánxiào		joke, make fun of
5.	吃惊	chījīng	*v.*	be surprised, be startled
6.	简单	jiǎndān	*adj.*	easy, simple
7.	比如（说）	bǐrú (shuō)	*v.*	for example
8.	炒	chǎo	*v.*	fry
9.	西红柿	xīhóngshì	*n.*	tomato
10.	豆腐	dòufu	*n.*	tofu, bean curd
11.	鱼	yú	*n.*	fish
12.	包	bāo	*v.*	wrap, make (dumplings)
13.	尝	cháng	*v.*	taste

专有名词　Proper Nouns

1.	鸡蛋炒西红柿	Jīdàn Chǎo Xīhóngshì	scrambled eggs with tomatoes
2.	麻婆豆腐	Mápó Dòufu	stir-fried bean curd in hot sauce
3.	鱼香肉丝	Yúxiāng Ròusī	fish-flavored shredded pork

课 文（一） 62

Text I

（大中和李雪在聊天儿）

大中：你每天在哪儿吃饭？

李雪：我在学校食堂吃，你呢？

大中：学校外边有几家不错的饭馆，我中午常常去那里，晚上我一般自己做。

李雪：你会做饭？

大中：当然，我专门学过，还当过厨师呢。

李雪：当过厨师，你跟我开玩笑吧？

大中：不开玩笑，这是真的。

李雪：你太让我吃惊了。

大中：一般的韩国菜我都会做，简单的中餐我也会。

李雪：真没想到！中餐你会做什么？

大中：比如说，鸡蛋炒西红柿、麻婆豆腐、鱼香肉丝。

李雪：都是我爱吃的菜。哎，你会做饺子吗？

大中：会，朋友们都说我包的饺子好吃。

李雪：真的吗？那你一定得请我到你家吃饭，我也想尝尝你包的饺子。

大中：好，没问题。

边学边练 *Practice to learn*

1. 李雪每天在哪儿吃饭？大中呢？ ____________________
2. 李雪为什么吃惊？ ____________________
3. 李雪爱吃什么菜？ ____________________
4. 为什么李雪要吃大中包的饺子？ ____________________

跟我读，学生词（二） 63

New Words II

1.	菜单	càidān	*n.*	menu
2.	随便	suíbiàn	*v.*	do as one pleases
3.	点（菜）	diǎn (cài)	*v.*	order (dishes)
4.	来	lái	*v.*	*used as a substitute for a more specific verb*
5.	米饭	mǐfàn	*n.*	cooked rice
6.	起来	qǐlai	*v.*	*used after a verb to indicate the completion of an action or attainment of a goal, also used to indicate estimation or venture an opinion*
7.	以为	yǐwéi	*v.*	think, believe
8.	历史	lìshǐ	*n.*	history
9.	故事	gùshi	*n.*	story
10.	图	tú	*n.*	picture

专有名词 **Proper Nouns**

1.	宫保鸡丁	Gōngbǎo Jīdīng	diced chicken stir-fried with dried chili
2.	东坡肉	Dōngpō Ròu	Dongpo pork, braised pork belly

课文（二） 64

Text II

（汉娜和杰森去饭馆吃饭）

汉娜：杰森，看看菜单，你想吃什么？

杰森：随便，吃什么都行。

汉娜：我最怕点菜了，你点吧。

杰森：还是你来吧，菜单上的字，我只认识那几个："鸡蛋"、"西红柿"、"麻婆豆腐"，还有"米饭"。

汉娜：不对，你上次还点了鱼香肉丝呢。

杰森：鱼香肉丝？哦，想起来了，那时候我还以为鱼香肉丝是一种鱼做的菜呢。

汉娜：中文菜单是挺难的，有的看名字真的不知道是什么。

杰森：听说，有些菜名都是有历史、有故事的。

汉娜：对，比如你刚才说的麻婆豆腐，还有宫保鸡丁、东坡肉。不过，现在不少餐馆的菜单都有图了。

杰森：没有图的时候，我一般看别人吃什么，看起来不错的，我就告诉服务员，“来一个那个。”

汉娜：这个办法也不错。

边学边练 *Practice to learn*

1. 为什么汉娜、杰森都不想点菜？ ______________________
2. 杰森原来以为鱼香肉丝是什么菜？ ______________________
3. 哪些菜是有历史、有故事的？ ______________________
4. 杰森现在点菜的方法是什么？ ______________________

功能句
Functional Sentences

【说明、解释】 **To illustrate or explain something**

1. A：中餐你会做什么？

   B：比如说，鸡蛋炒西红柿、麻婆豆腐、鱼香肉丝。
2. 那时候我还以为鱼香肉丝是一种鱼做的菜呢。
3. A：听说，有些菜名都是有历史、有故事的。

   B：对，比如你刚才说的麻婆豆腐，还有宫保鸡丁、东坡肉。

【吃惊、意外】 **To express shock or surprise**

1. 你太让我吃惊了。
2. 真没想到！

【怀疑】 To express doubt

1. 你跟我开玩笑吧？
2. A：朋友们都说我包的饺子好吃。
   B：真的吗？
3. A：他说今天他不来了。
   B：不会吧？

课堂活动与练习
Classroom Activities and Exercises

一、语音练习 *Pronunciation*

早吃好，午吃饱，晚吃少。

Zǎo chīhǎo, wǔ chībǎo, wǎn chīshǎo.

汤	tāng	soup	先喝汤	点了米饭和汤
把	bǎ	*a measure word*	一把椅子	一把雨伞
汉堡	hànbǎo	hamburger	一个汉堡	喜欢吃汉堡
薯条	shǔtiáo	French fries	一份薯条	薯条很好吃

二、大声读一读 *Read aloud*

词语 Words	例子 Examples	请你给出更多例子 More examples
几	一共来了十几个人。 咱们几个一起去吧。	
当	当学生　明天我当厨师。 他以后想当翻译。	
开玩笑	别开玩笑　跟你开个玩笑 他开玩笑呢，不是真的。	

随便	去不去随便。 随便，你点什么我吃什么。 怎么做都行，随你的便。	
来	再来个汤。 不用客气，我自己来。 唱得真好，再来一个。	
起来	想起来　想不起来了 看起来要下雨 把书收起来　把礼物包起来	

三、替换词语说句子 *Substitution drills*

1. 这儿还有几家饭馆。

我	块	钱
他	件	衣服
教室里	把	椅子

2. A：我还当过厨师呢。

   B：当过厨师，你跟我开玩笑吧？

老师	真的吗
运动员	你和我们开玩笑吧
演员	不会吧

3. A：你真会唱京剧吗？

   B：不开玩笑，是真的。

   A：你太让我吃惊了。

会包饺子	真没想到
能修电脑	太让我吃惊了
能给我们当导游	真没想到，太好了

4. A：简单的中国菜我会做。

   B：真的？你会什么？

   A：比如（说），鸡蛋炒西红柿、麻婆豆腐、鱼香肉丝。

韩语	会说	你好、谢谢、再见
汉字	会写	大、小、日、月
中国画儿	能画	花、草、树

5. A：你想吃什么？
   B：随便，什么都行。
   A：那听我的，我们吃饺子。

喝	喝咖啡
看	看足球比赛
吃	吃汉堡和薯条

6. A：我还以为鱼香肉丝是一种鱼做的菜呢。
   B：不是的。
   A：还是我来吧，我比你会点菜。

你做饭了	我刚回来	我比你快
你把房间收拾干净了	我没时间	你比我忙
你写完通知了	没有呢	你先写作业

四、练一练：完成对话 *Complete the following dialogues*

1. A：你吃饭了吗？
   B：______________。
   A：在哪儿吃的？
   B：学校食堂，中午我______________都在那儿吃，______________。

[吃　方便　差不多]

2. A：咱们去外边吃饭吧，学校旁边有几家饭馆不错。
   B：别去外边了，我给你们做吧。

A：没 ____________ 吧？你会做饭？

B：当然，我专门学过，还 ____________ 呢。

A：那好吧，____________。 ［当　开玩笑　尝］

3. A：今天 ____________。

B：我 ____________，这是真的？

A：当然了。

B：你给我们做什么？

A：你们想吃什么？____________。 ［请　吃惊　简单］

4. A：真没想到，中餐你也会做？

B：简单点儿的，____________。

A：____________？

B：比如说，鸡蛋炒西红柿、麻婆豆腐、鱼香肉丝，包饺子也行。

A：太棒了，咱们 ____________。

［包　比如说　没问题］

5. A：我 ____________，你点吧。

B：看看菜单，你想吃什么？

A：____________，吃什么都行。

B：那我点啦？

A：你放心点吧，你点什么 ____________。 ［随便　都　最怕］

6. A：今天 ____________，怎么样？

B：好啊，我想吃鱼，咱们要个鱼香肉丝吧。

A：鱼香肉丝不是鱼。

B：不是鱼？中文菜单真难，____________。

A：这儿有图，咱们可以 ____________。 ［看　还是　点］

7. A：你看，＿＿＿＿＿＿＿＿要的那个菜挺好的。
   B：是啊，好像有豆腐。
   A：那咱们告诉服务员，＿＿＿＿＿＿＿＿。
   B：我得问问服务员，那菜叫什么名字，下次咱们就能要了。
   A：对，＿＿＿＿＿＿＿＿。 [办法　来　桌]

五、小组活动　*Group work*

读后说一说　Read the following email and talk about it.

发件人　From	当当
收件人　To	小鱼
抄送　Cc	
主题　Subject	欢迎来我家
附件　Attached file	

小鱼：

你好。

刚看到你的邮件，我正想告诉你呢，我上星期搬家了。

我和阿龙一起搬到了学校附近的一个小区。小区很漂亮，环境也不错，生活很方便。我们两个人都有自己的房间。我们的新家有厨房、卫生间、客厅、餐厅，对，我们的客厅和餐厅都很大。

我们想请大家来玩儿，还想和大家一起吃饭。吃饭的办法有两个：第一个办法是每个人做一个菜，第二个办法是吃饺子。不会包饺子没关系，我会，我可以教大家。我给我妈妈包过饺子，我妈妈说我包的饺子特别好吃。你觉得怎么样？

你的朋友　当当

任务一：大声读一读这封电子邮件。

Task 1: Read this email aloud.

任务二：说一说你的回信都打算写些什么。

Task 2: Talk about what you're going to write in your reply.

六、复习与表达 *Review and presentation*

1. 双人对话 Pair work: Make dialogues.

A	B
你中午去哪儿吃饭？	
	学校附近没有什么好吃的地方，还是在食堂吧。
你晚上一般在哪儿吃饭？	
	我专门学过做饭，我还当过厨师呢。
我真羡慕你，还会做西餐，太让我吃惊了。	
	你会包饺子？没开玩笑吧？
大家都说我包的饺子好吃。	
	随便，吃什么都行，你点吧。
我最怕点菜了，菜单上的字，我就认识几个，也不知道好吃不好吃，还是你点吧。	
	对呀，麻婆豆腐、宫保鸡丁，还有东坡肉，都是有历史、有故事的。
这个菜单好，有图，咱们可以看图点。	

2. 课堂展示 Presentation

选择一个题目说一说。

Choose one of the following topics and talk about it.

（1）你最喜欢的中国菜

（2）你在中国饭馆的故事

参考词语和句式

食堂	饭馆	吃惊	比如说	尝	菜单	点菜
以为	想起来	图	包饺子	开玩笑	让……吃惊	

挑战自我
Challenge Yourself

一、词语扩展任务 *Vocabulary building task*

仿照例子做扩展练习。

Read aloud and do the exercises following the examples.

练习一

厨师　医生　演员　老师

（列举更多与职业相关的词语　Try to give more words or phrases of occupations）

麻婆豆腐　宫保鸡丁　东坡肉

（列举更多中国菜名　Try to give more names of Chinese dishes）

练习二

点菜	我点菜了。 我没点菜。 我不点菜，你点吧。 菜点好了。 菜点完了。 点了三个菜。 点没点菜？ 点菜没点菜？
搬家	(Try to use “搬家” with “了”，“没”，“不”，“过”，“一次”，“几次”，“完” and “好”)

吃惊	很吃惊 不吃惊 没吃惊 这事让我很吃惊。 吃惊极了 你听说这件事后吃惊过吗？ 吃惊不吃惊？
羡慕	(Try to use “羡慕” with “不”，“没”，“过”，“很” and “极了”)

二、交际任务 *Communicative task*

找一份你喜欢的中国饭馆的菜单，试着和中国朋友一起把它翻译成你的母语。

Find the menu of a Chinese restaurant you like and try to translate it into your mother tongue with a Chinese friend.

这些话，我能脱口而出

14 每天除了上课，还做什么

Besides going to classes, what else do you do every day

跟我读，学生词（一） 66

New Words I

1.	死（了）	sǐ (le)	*adj.*	extremely, very
2.	够	gòu	*v.*	be enough
3.	除了	chúle	*prep.*	besides, in addition to
4.	各	gè	*pron.*	all, various
5.	活动	huódòng	*n.*	activity
6.	事情	shìqing	*n.*	thing, matter
7.	安排	ānpái	*v.*	arrange, plan
8.	洗澡	xǐzǎo	*v.*	take a bath or shower
9.	闹钟	nàozhōng	*n.*	alarm clock
10.	适应	shìyìng	*v.*	suit, adapt, fit
11.	对……来说	duì……lái shuō		to…, for…, as for…
12.	确实	quèshí	*adv.*	indeed, truly

课　文（一） 67

Text I

（友美在路上碰见杰森）

友美：杰森，最近怎么样？

杰森：哎呀，忙死了。

友美：你都在忙什么？

杰森：我也不知道自己在忙什么，老觉得时间不够用。

友美：你每天除了上课，还做什么？

杰森：每天除了上课，还要写作业，还要参加各种活动，事情太多了。

友美：你每天时间是怎么安排的？

杰森：早上一般来说是最紧张的，我差不多7点半起床，洗澡、吃早饭，然后就去上课。

友美：7点半才起床，除了洗澡，还要吃早饭，当然紧张了。你再早半个小时起床，不行吗？

杰森：不行，7点半起床已经很不容易了。为了能起来，我买了两个闹钟呢。

友美：我看，你还没有适应这里的学校生活。

杰森：对我来说，早起床确实太难了。不过，我比以前好多了，以前上课老迟到，现在已经不迟到了。

边学边练　*Practice to learn*

1. 杰森每天过得怎么样？ ____________________
2. 杰森每天在忙什么？ ____________________
3. 杰森每天的生活是怎么安排的？ ____________________
4. 杰森比以前有进步吗？ ____________________

跟我读，学生词（二） 68

New Words II

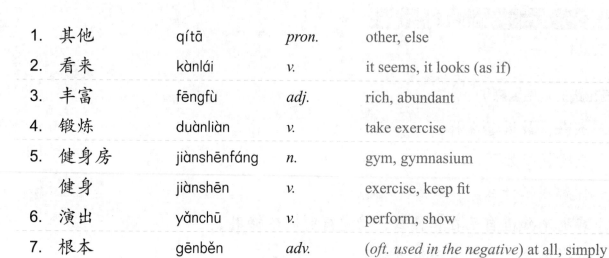

1.	其他	qítā	*pron.*	other, else
2.	看来	kànlái	*v.*	it seems, it looks (as if)
3.	丰富	fēngfù	*adj.*	rich, abundant
4.	锻炼	duànliàn	*v.*	take exercise
5.	健身房	jiànshēnfáng	*n.*	gym, gymnasium
	健身	jiànshēn	*v.*	exercise, keep fit
6.	演出	yǎnchū	*v.*	perform, show
7.	根本	gēnběn	*adv.*	(*oft. used in the negative*) at all, simply

8.	留	liú	*v.*	assign (homework), leave behind
9.	算	suàn	*v.*	regard as, count as
10.	哎呀	āiyā	*int.*	*expressing surprise or dissatisfaction*
11.	不是…… 而是……	bú shì…… ér shì……		not… but…
12.	再	zài	*adv.*	(*indicating that one action takes place after the completion of another*) then

课文（二） 69

Text II

（友美和杰森在聊每天的时间安排）

友美：你们除了上午有课，下午和晚上也有课吗？

杰森：除了星期二下午有选修课，其他时间都没有。

友美：那你为什么会这么忙？

杰森：除了上课，我还要运动，还要参加娱乐活动。

友美：看来，你的课外生活很丰富啊。

杰森：当然了。锻炼身体对我来说更重要，所以我每天下午都去健身房。

友美：那晚上呢？

杰森：我的娱乐活动一般安排在晚上，比如看电影、看演出。

友美：每天晚上都看吗？

杰森：如果不看电影、不看演出，就看电视，或者上网和朋友聊天儿。

友美：那你什么时候写作业，什么时候复习呢？

杰森：我这么忙，根本没有时间写作业。

友美：你们老师留的作业多吗？

杰森：不算多，可是我太忙了。哎呀，一天的时间怎么这么短啊？

友美：我看，根本不是一天的时间太短，而是你不会安排时间。你应该先写完作业，再去运动；晚上先复习，再去娱乐。

杰森：看来，我要好好儿安排一下我的时间了。

边学边练 *Practice to learn*

1. 杰森什么时候有课? ______________________
2. 杰森每天除了上课还要做什么? ______________________
3. 杰森每天晚上干什么? ______________________
4. 杰森的问题是什么? ______________________

功能句
Functional Sentences

【估计】 To make an estimation

1. 我看,你还没有适应这里的学校生活。
2. 看来,我要好好儿安排一下我的时间了。
3. 我想,他会来吧。

【排除】 To exclude something

1. 你每天除了上课,还做什么?
2. 每天除了上课,还要写作业,还要参加各种活动,事情太多了。
3. 除了星期二下午有选修课,其他时间都没有。

【表达某种程度】 To express a certain degree

1. 你的课外生活很丰富啊。
2. 那次,他特别生气。
3. 昨天的天气最好了,特别适合出去玩儿。
4. 我累极了。
5. 我忙死了。

【补充说明】 To make additional remarks

1. 早上一般来说是最紧张的。

2. 对我来说，早起床确实太难了。

3. 锻炼身体对我来说很重要，所以我每天下午都去健身房。

课堂活动与练习
Classroom Activities and Exercises

一、语音练习 *Pronunciation*

吃一堑，长一智。
Chī yí qiàn, zhǎng yí zhì.

生气	shēngqì	angry	他生气了。	别生气了。
花	huā	spend	花钱	花了很长时间才做完
请客	qǐngkè	stand treat	他在饭店请客。	这次我请客。
计划	jìhuà	plan	工作计划	我计划在北京学习一年。

二、大声读一读 *Read aloud*

词语 Words	例子 Examples	请你给出更多例子 More examples
死（了）	累死了　困死了 笑死我了。	
够	时间不够了。　钱够花了。 一个面包够吃吗？	
除了	除了马丁，我都通知了。 除了你，还有谁知道？ 天气真不好，每天除了刮风，就是下雨。	
各	各种各样　各种水果都要吃 各班都有自己的安排。	
留	留作业　把东西留在宿舍 我回国了，自行车留给了朋友。	

算	今天还行，不算太冷。 他的身体还算不错。	

三、替换词语说句子 *Substitution drills*

1. A：最近怎么样？
   B：生活很丰富。
   A：还有呢？
   B：哎呀，忙死了。

学习	紧张	非常非常累
比赛	多	困极了
考试	紧张	我讨厌死考试了

2. A：你除了友美，还认识谁？
   B：除了友美，还认识马丁和汉娜。

学汉语	学	什么	学京剧
会包饺子	会	什么	会做各种炒菜
上海	去过	哪里	去过天津

3. A：对我来说，每天锻炼身体确实太难了。
   B：还是努力试试吧。

年轻人	一个月只花2000块钱
他们	每天记20个生词
留学生	半个月就适应这里的生活

4. A：今天老师留的作业多吗？
   B：不算多，可是有点儿难。

苹果贵	贵	不太好吃
包饺子容易学	难	我包的饺子不如老师包的好看
历史故事好懂	难	不容易记住

5. A：看来，你要好好儿安排一下你的时间了。

B：是啊，你说得对。

我想	考虑	学习计划
我看	准备	HSK考试
我看	收拾	房间

6. A：根本不是一天的时间太短，而是你不会安排时间。

B：不会吧。

电脑坏了	不会用	我确实不会
钱太少	乱花钱	我没有啊
衣服瘦	长胖了	不对吧

四、练一练：完成对话 *Complete the following dialogues*

（有的词可以用两次。Some of the given words or expressions can be used twice.）

1. A：好久没见，你最近好吗？

B：哎呀，我 ____________________。

A：忙什么呢？

B：我也不知道，不过老有 ____________________ 的事，老觉得时间 ____________________。

［干不完　够　死］

2. A：我最近忙极了，一直没给你打电话，你怎么样，还好吗？

B：我挺好的，你每天 ____________________ 上课，还忙什么呀？

A：我每天 ____________________，还要写作业，还要参加各种活动。

B：____________________ 我也要做，没觉得那么忙呀。

A：肯定你的事情 ____________________ 我多。

［这些事　除了　不如］

3. A：你怎么会这么忙啊？

B：我从早上开始就特别紧张，________________，我7点半起床，________________，去上课。

A：7点半________________，是不是太晚了？7点起床不行吗？

B：对我来说，7点半起床已经很不容易了，为了能起来，我买了两个闹钟呢。

[然后　一般来说　才]

4. A：到了中国就要______________，我觉得你还______________。

B：是啊，______________，早起床确实太难了。不过，我已经比以前好多了。

A：以前天天上课迟到吧？

B：______________，不过，现在已经不经常迟到了。

[对……来说　差不多　适应]

5. A：可以告诉我吗，你每天都做些什么事？

B：除了上课，我________________，________________。

A：________________，你的课外生活很丰富啊。

B：________________，锻炼身体对我来说更重要，所以，我每天下午还要去健身房。

[看来　还要　还有呢]

6. A：你每天晚上的时间________________？

B：我的娱乐活动________________，比如看电影、看演出。

A：如果没有电影和演出呢？

B：那就看电视，________________。

[安排　一般　或者]

7. A：你每天什么时候写作业，什么时候复习呢？

B：我都快忙死了，________________。

A：你们老师留的作业多吗？

B：＿＿＿＿＿＿＿＿＿＿，可是我太忙了，哎呀，一天的时间也太短了。

A：＿＿＿＿＿＿＿＿＿＿，而是你自己有问题。你什么都想干，就是不想学习。

［我看　不算　根本］

五、小组活动　*Group work*

乔治：我都忙死了

前天：

- 8:00 — 12:00 上课
- 12:00 — 14:00 午餐
- 14:00 — 16:00 选修课
- 16:30 — 17:30 运动
- 18:00 — 19:00 晚餐
- 19:00 — 19:30 看电视新闻
- 19:30 — 24:00 参加朋友的生日晚会
- 1:00 — 2:00 做作业
- 2:00 作业没做完，太困了，睡觉

昨天：

- 7:40 起床，没吃早饭去学校，迟到了
- 8:00 — 10:00 上课
- 10:00 — 13:30 去银行办事，在外面吃午饭
- 14:00 — 16:30 学习中国画，课后和学画画儿的同学聊一会儿画儿，约好周末去看画展
- 16:30 回来，路上堵车，运动的时间没有了
- 18:00 — 19:00 晚餐
- 19:00 — 19:30 看电视新闻

今天：

- 11:00 起床，吃完午饭，和朋友去看画展，一起吃晚饭，去唱卡拉OK
- 24:00 回来，很累，睡觉

明天：

- 要去机场接朋友，安排朋友吃、住
- 天冷了，要去买衣服
- 要去超市买些水果、日用品
- 该和妈妈联系了

任务一：读一读乔治的日记。

Task 1: Read George's diaries.

任务二：说一说你对乔治时间安排的看法。

Task 2: Talk about your opinion on George's schedules.

六、复习与表达 *Review and presentation*

1. 双人对话 Pair work: Make dialogues.

A	B
	我每天可忙了。
你每天都忙什么呢？	
	我每天除了上课、写作业，还有好多事呢，比如锻炼身体，参加娱乐活动。
你每天时间是怎么安排的？	
你7点半才起床，太晚了吧？	
	我已经比以前好多了，上课很少迟到了。
你们每天上下午都有课吗？	
	晚上都没有课。
你是不是课外活动太丰富了？	
	一般来说，我的娱乐活动都安排在晚上，比如看电影、看演出。
不看电影、不看演出的时候呢，你干什么？	

2. 课堂展示 Presentation

角色扮演 Role-play

（1）两个人是好朋友，很久没见面了，好不容易找个时间见面了，互相说说自己在忙什么。

（2）A说自己快忙死了，每天都觉得时间不够用。B说A的时间没有安排好。

（3）A天天忙得没时间做作业，B建议A每天先做重要的事情，不重要的事情后做或者不做。

（4）A 的娱乐活动太多，B 建议 A 先学习再娱乐。

参考词语和句式

好久　忙死了　时间不够用　事情太多　除了　上课
各种活动　写作业　运动　锻炼身体　上网　和朋友聊天儿
看电影　看演出　时间紧张　才起床　早睡早起　重要
先……再……　爱好　兴趣　但是　安排好时间
第一是……第二才是……

挑战自我
Challenge Yourself

一、词语扩展任务　*Vocabulary building task*

仿照例子做扩展练习。

Read aloud and do the exercises following the examples.

练习一

洗	洗澡　洗脸　洗手间
	（列举更多带"洗"的词语　Try to give more words or phrases with"洗"）

练习二

安排	安排时间　安排今天的工作　安排一个房间 不安排　还没安排　已经安排了　安排好了 安排一下　安排一下明天的事情　明天的工作已经安排好了。 安排安排　好好儿安排安排
锻炼	（Try to use “锻炼” with “身体”, “不”, “了”, “没”, “过”, “一下”, “一次”, “完” and “好好儿” or to use its reduplicate form）

丰富	很丰富　丰富极了　不丰富　不太丰富 越来越丰富　有点儿不丰富　比以前丰富了 吃的东西很丰富。　活动很丰富。
方便	（Try to use “方便” with “不”,“很”,“极了”,“有点儿”,“越来越” and “比”）

二、交际任务 *Communicative task*

小调查：问一问你的朋友们，在学期中，他们觉得以下哪些事是必须做的、可以做也可以不做的、不用做的。

Survey: Ask your friends which of the following activities they think are compulsory, selective or unnecessary during an academic term.

	必须做	可以做也可以不做	不用做
上课			
看演出			
写作业			
聊天儿			
旅游			
运动			
其他，如：______			

这些话，我能脱口而出

我不在办公室，就在会议室

I will be either in the office or in the conference room

跟我读，学生词（一） 71

New Words I

1.	经理	jīnglǐ	*n.*	manager
2.	实习	shíxí	*v.*	practice, do an internship
3.	出差	chūchāi	*v.*	go on a business trip
4.	由	yóu	*prep.*	(be done) by (sb.)
5.	负责	fùzé	*v.*	be in charge of
6.	秘书	mìshū	*n.*	secretary
7.	小姐	xiǎojie	*n.*	miss, young lady
8.	另	lìng	*pron.*	another, other
9.	突然	tūrán	*adj.*	sudden, unexpected
10.	按时	ànshí	*adv.*	on time, on schedule
11.	尽快	jǐnkuài	*adv.*	as soon as possible
12.	好	hǎo	*v.*	so as to, so that
13.	办公室	bàngōngshì	*n.*	office
	办公	bàngōng	*v.*	work, handle official business
	室	shì	*n.*	room
14.	会议室	huìyìshì	*n.*	meeting room, conference room
	会议	huìyì	*n.*	meeting, conference

课　文（一） 72

Text I

（卡尔去实习，在办公室见到了李秘书）

卡　尔：请问，张经理在吗？我是来实习的学生，我叫卡尔。

李秘书：哦，张经理出差了，实习的事情现在由我负责。我是张经理的秘书，我姓李。

卡　尔：李小姐，您好。

李秘书：你们不是有两个实习的学生吗？

卡　尔：对，我们一共两个人。另一个同学突然病了，今天来不了。

李秘书：那他还能按时开始实习吗？

卡　尔：听老师说，他可能要过几天再来实习。

李秘书：哦。请你转告他，尽快跟我们联系一下，好给他安排新的实习时间。

卡　尔：明白了，就让他跟您联系吗？

李秘书：对，这是公司的电话。上班时间，我不在办公室，就在会议室。打这个电话就能找到我。

卡　尔：好的，我一定告诉他。

边学边练　*Practice to learn*

1. 公司让谁负责实习的事？ ______________________
2. 有几个学生要来实习？为什么只来了卡尔一个人？

   ____
3. 李秘书让卡尔做什么？ ______________________

跟我读，学生词（二） 73

New Words II

1.	网络	wǎngluò	*n.*	Internet, network
2.	根据	gēnjù	*prep.*	according to
3.	选择	xuǎnzé	*v.*	choose, select
4.	具体	jùtǐ	*adj.*	particular, specific
5.	客户	kèhù	*n.*	client, customer
6.	打交道	dǎ jiāodao		deal with, come into contact with

7. 向	xiàng	*prep.*	to, towards
8. 产品	chǎnpǐn	*n.*	product, produce
9. 资料	zīliào	*n.*	data, material
10. 回答	huídá	*v.*	answer, reply

课文（二） 74

Text II

（李秘书在跟卡尔说他的实习安排）

卡　尔：李小姐，我在公司实习，都应该做些什么？

李秘书：哦，一般来说，实习的学生，不是在市场部，就是在网络部。你可以根据自己的兴趣选择。

卡　尔：在市场部，具体做些什么呢？

李秘书：如果在市场部，你需要跟客户打交道，向他们介绍我们的产品。

卡　尔：我懂了，在网络部呢？

李秘书：如果在网络部，你除了要翻译一些资料，还要回答网上客户的一些问题。

卡　尔：哦，就是负责翻译和回答网络上的问题。

李秘书：是的，怎么样，或者是市场部，或者是网络部，你对哪个更感兴趣？

卡　尔：两个都很有意思，我还是听您的安排吧。

边学边练 *Practice to learn*

1. 公司怎么安排实习学生的工作？ ____________
2. 实习学生在市场部做什么？ ____________
3. 实习学生在网络部做什么？ ____________
4. 卡尔怎么选择的？ ____________

功能句
Functional Sentences

【选择】 To indicate choices

1. 上班时间，我不在办公室，就在会议室。
2. 一般来说，实习的学生，不是在市场部，就是在网络部。
3. 或者是市场部，或者是网络部，你对哪个更感兴趣？

【领悟、明白】 To express comprehension or understanding

1. A：请你转告他，尽快跟我们联系一下，好给他安排新的实习时间。
   B：明白了，……
2. A：如果在市场部，你需要跟客户打交道，向他们介绍我们的产品。
   B：我懂了，……
3. A：如果在网络部，你除了要翻译一些资料，还要回答网上客户的一些问题。
   B：哦，就是负责翻译和回答网络上的问题。
4. A：我在电脑公司工作，所以我会修电脑。
   B：哦，知道了。

【解释、说明】 To explain or expound something

1. 一般来说，实习的学生，不是在市场部，就是在网络部。你可以根据自己的兴趣选择。
2. 如果在市场部，你需要跟客户打交道，向他们介绍我们的产品。
3. 如果在网络部，你除了要翻译一些资料，还要回答网上客户的一些问题。

课堂活动与练习
Classroom Activities and Exercises

一、语音练习 *Pronunciation*

机不可失，时不再来。
Jī bù kě shī, shí bú zài lái.

饿	è	hungry	太饿了	有吃的吗？我饿死了。
渴	kě	thirsty	我渴了，想喝水。	一天没喝到水了，渴死我了！
眼镜	yǎnjìng	glasses, spectacles	没有眼镜看不清楚	这是谁的眼镜？
手表	shǒubiǎo	wrist watch	一块手表	新买的手表

二、大声读一读 *Read aloud*

词语 Words	例子 Examples	请你给出更多例子 More examples
由	由你决定　准备工作由你负责。 这件事情由我来办。	
另	另一件事　另一个箱子 咱们走另一条路吧。	
突然	突然下雨了。 我突然想不起来他的名字了。	
好	我留个电话，谁有事好找我。 我买了一些吃的，饿了好吃。 我带来一些水，渴了好喝。	
根据	根据天气预报，明天有雨。 根据我们的了解，事情和你说的不一样。	
具体	具体情况　计划应该再具体一些 我已经说得很具体了。	

三、替换词语说句子 *Substitution drills*

1. A：你们班不是有两个来实习的学生吗？

   B：对，另一个病了，今天来不了。

想学京剧的	不想学	以后也不来了
日本	回国	早上刚走的
参加演出的	请假	今天不来了

2. A：这是我的电话号码，你记一下，以后好跟我联系。

   B：太好了。

地址	记	找我
朋友	跟他互相认识	经常联系
资料	看	准备你自己的

3. A：这两个汉字读音一样，意思不一样。

   B：明白了，我以后一定不会错了。

“喝”和“渴”右边一样，左边	懂
“肥”和“胖”意思差不多，用法	清楚
汉语和日语里“新闻”两个字，意思完全	哦，知道

4. 他天天都在公司里，不在办公室，就在会议室。

他的中午饭很简单	吃面条	吃饺子
他肯定在学校	在图书馆	在操场
他差不多想好了	去农村	去外地

5. 在市场部，你要跟客户打交道，向他们介绍我们的产品。

网络部	网上的客户	回答他们的问题
记者部	各种人	去发现各种各样的新闻
学校	很多人	跟他们做朋友

6. A：怎么样，或者是市场部，或者是网络部，你对哪个更感兴趣？
   B：我好好儿想想。

今天	明天	想哪天去
眼镜	手表	想要哪一个
买新车	买二手车	想买哪种

四、练一练：完成对话 *Complete the following dialogues*

（有的词可以用两次。Some of the given words or expressions can be used twice.）

1. A：我是来＿＿＿＿＿＿＿＿＿＿，我叫王大明。您是张经理吗？
   B：张经理＿＿＿＿＿＿＿＿了，实习的事情现在＿＿＿＿＿＿＿＿。
   A：请问，您贵姓？
   B：我姓李，我是张经理的秘书。 ［由　实习　出差］

2. A：你们有几个人要来实习？
   B：两个，可是另一个同学突然病了，今天＿＿＿＿＿＿＿＿＿＿。
   A：请你＿＿＿＿＿＿＿＿＿＿，＿＿＿＿＿＿＿＿＿＿，我们好给他安排实习时间。
   B：好，我一定＿＿＿＿＿＿＿＿＿＿他。 ［转告　尽快　……不了］

3. A：你＿＿＿＿＿＿＿＿＿＿张朋也来吗？他怎么没来啊？
   B：他下午有点儿不舒服，也许晚来一会儿。
   A：那咱们还＿＿＿＿＿＿＿＿＿＿吗？

B：咱们 ______________ 商量，他晚点儿也没关系。

[先　按时　不是说]

4. A：花子让我转告您，她今天 ______________，请您给她安排新的实习时间。

B：她好点儿了吗？

A：她 ______________。我把您办公室的电话告诉她了，可以吧？

B：没问题，上班时间，我 ______________，______________，打这个电话就能找到我。[不在……就在……　好多了　联系]

5. A：李秘书，我们实习生在公司做些什么工作？

B：一般来说，实习的学生，______________。

A：那我去哪个部门？

B：你可以 ______________ 选择。

A：好的，我好好儿想想。[不是……就是……　……部　根据]

6. A：在市场部实习，______________ 呢？

B：如果在市场部，要 ______________，向他们介绍我们的产品。

A：在网络部呢？

B：在网络部的话，______________。

A：哦，明白了。[打交道　具体　除了……还……]

7. A：想好了吗？______________，______________，你对哪个更感兴趣？

B：两个都很有意思。

A：你 ______________ 哪个工作？

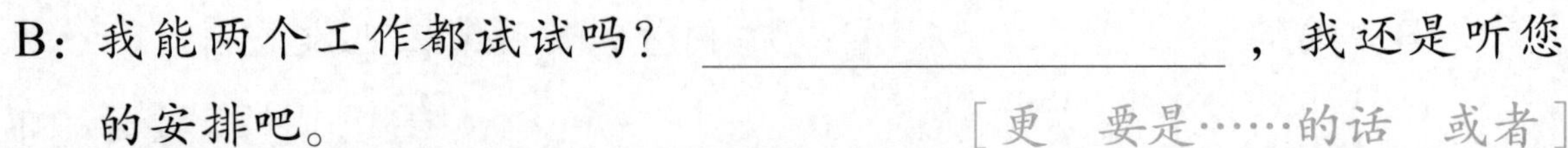

B：我能两个工作都试试吗？__________，我还是听您的安排吧。 ［更 要是……的话 或者］

五、小组活动 *Group work*

读后说一说 Read the following email and talk about it.

发件人 From	卡尔
收件人 To	乔治
抄送 Cc	
主题 Subject	我们的实习快完了
附件 Attached file	

乔治：

你最近好吗？

上次你问我，为什么最近给你发 email 少了，现在告诉你吧：我们实习太忙了。

还有两天，实习就完了，我的时间也会多一些了。我挺喜欢实习的，实习让我学到了很多在学校学不到的东西。说真的，实习的时候，我懂得了学习的重要，懂得了时间的宝贵（bǎoguì, precious），明白了做什么工作都要努力，多听别人的建议，要对自己做的事情负责。

实习的时候，我一次也没有迟到过，我进步了吧？

我还非常努力地在实习中多用我们学过的汉语。

实习的时候，我还发现了一些中国人和我们国家的人不一样的地方，见面的时候，我再慢慢告诉你吧。

你的朋友 卡尔

任务一：大声读一读这封电子邮件。

Task 1: Read this email aloud.

任务二：说一说你的回信都打算写些什么。

Task 2: Talk about what you're going to write in your reply.

六、复习与表达 *Review and presentation*

1. 双人对话 Pair work: Make dialogues.

A	B
	经理出差了，实习的事情由我负责。
您是……？	
	我们是两个人。另一个同学病了，今天来不了。
他什么时候能开始实习啊？	
	好的，我一定告诉他。
告诉他，这是公司的电话。找我打这个电话就行。	
	一般来说，实习的学生，不是在市场部，就是在网络部。
在市场部的话，具体干些什么呢？	
明白了，网络部呢？	
	两个都很有意思。
怎么样，想好了吗，你想去市场部还是网络部？	

2. 课堂展示 Presentation

角色扮演 Role-play

（1）实习第一天，A 见到了张经理。

（2）A 向张经理介绍自己的学习情况和兴趣爱好。

（3）张经理向 A 介绍实习内容。

（4）A 决定到市场部实习。

参考词语和句式

您是……　我是……　我叫……　欢迎你们……

我们的公司有……　经常　来实习　学了（一年）汉语

喜欢中国文化　旅游　电影　每天上网　中国朋友很多

一般来说　具体　市场部　跟客户打交道　介绍产品

网络部　翻译资料　回答网上客户的问题　根据　兴趣

选择　听您的安排

挑战自我
Challenge Yourself

一、词语扩展任务 *Vocabulary building task*

仿照例子做扩展练习。

Read aloud and do the exercises following the examples.

练习一

室	办公室　浴室　卧室
	（列举更多带“室”的词语　Try to give more words or phrases with “室”）

练习二

选择	选择产品　选择工作　选择其中一个 选择了　还没选择　已经选择过了　选择好了 你来选择一下。　由你来选择。 选择的机会　选择得很正确 能选择吗　选择不了　作出选择 怎么选择　你选择了什么？
回答	（Try to use“回答”with“问题”，“了”，“没”，“过”，“一下”，“的”，“得”，“由”，“吗”，“怎么”and“得了 / 不了”）

打交道	跟他们打交道	喜欢和孩子们打交道	
	不打交道	打过交道	没打过交道
	跟他不打交道	不和他打交道	
	跟他没打过交道	没跟他打过交道	
	打过一次交道	打过几次交道	打打交道
	你们打不打交道?	他们打过交道吗?	
	你跟他打过交道没有?	你跟他打没打过交道?	
开玩笑	(Try to use "开玩笑" with "跟", "和", "不", "没", "过", "一次" and "几次" or to use its reduplicate form)		

二、交际任务 *Communicative task*

小调查：了解一下不同专业的学生都有哪些实习活动。

Survey: Find out what internship jobs students of different majors do.

专业	实习活动

这些话，我能脱口而出

你赶快打电话预订吧
Call to make a reservation immediately

跟我读，学生词（一） 76

New Words I

1.	头疼	tóuténg	*adj.*	headache
2.	预订	yùdìng	*v.*	book, reserve, place an order
3.	酒店	jiǔdiàn	*n.*	hotel
4.	着急	zháojí	*adj.*	anxious, worried
5.	宾馆	bīnguǎn	*n.*	hotel, guesthouse
6.	五星级	wǔ xīngjí		five-star
7.	初	chū	*n.*	beginning, early part (of sth.)
8.	营业	yíngyè	*v.*	do business
9.	正好	zhènghǎo	*adj.*	just right
10.	抓紧	zhuājǐn	*v.*	lose no time in doing sth.

课　文（一） 77

Text I

（汉娜的父母要来，汉娜还没有给他们订好酒店）

杰森：汉娜，听说你父母要来看你，你肯定特别高兴。

汉娜：高兴是高兴，可是也很头疼。

杰森：为什么？

汉娜：妈妈让我帮他们预订酒店，我还没找到呢。

杰森：别着急，宾馆和酒店不是挺多的吗？

汉娜：多是多，可是我知道的酒店都很远。我父母想住得离我近一点儿，这样比较方便。

杰森：购物中心那边不是有个酒店吗？

汉娜：哦，那是一个五星级酒店，太贵了，一个晚上要2000多块呢。

杰森：对了，我们小区旁边有一个新的宾馆，不过好像12月初才开始营业。

汉娜：那正好啊，我父母是下个月6号来。

杰森：太好了，你赶快打电话预订吧。

汉娜：好，我抓紧。

边学边练 *Practice to learn*

1. 汉娜为什么头疼？ ____________________
2. 汉娜想找什么样的酒店？ ____________________
3. 购物中心附近的那家酒店怎么样？ ____________________
4. 杰森介绍的那家宾馆怎么样？ ____________________

跟我读，学生词（二） 78

New Words II

1.	标准间	biāozhǔnjiān	*n.*	standard room, twin room
2.	打折	dǎzhé	*v.*	sell at a discount, be on sale
3.	早餐	zǎocān	*n.*	breakfast
4.	免费	miǎnfèi	*v.*	be free of charge
5.	结账	jiézhàng	*v.*	pay the bill, check out
6.	现金	xiànjīn	*n.*	cash
7.	信用卡	xìnyòngkǎ	*n.*	credit card
	卡	kǎ	*n.*	card
8.	满意	mǎnyì	*v.*	be satisfied, be pleased
9.	接送	jiē sòng		receive and send off (guests or visitors)
	接	jiē	*v.*	meet, welcome
	送	sòng	*v.*	see (sb.) off, escort

10.	提供	tígōng	*v.*	provide, supply
11.	收费	shōufèi	*v.*	charge, collect fees

课文（二） 79

Text II

（汉娜已经订好了酒店）

杰森：你父母的酒店订好了吗？

汉娜：订好了，谢谢你帮忙。

杰森：不客气。你去宾馆看了吗？房间怎么样？

汉娜：我没去，我是在网上订的。网上有宾馆的介绍，也有房间的照片，看起来挺好的。哎，你说，我是不是应该到宾馆去看看啊？

杰森：别担心，有照片，我想没问题。价格贵吗？

汉娜：标准间一天890，但是网上预订能打6折，所以是500多一天，早餐免费。

杰森：还能打折，真不错。

汉娜：对了，我那天要是不抓紧时间订，房间就没有了。

杰森：结账方便吗？

汉娜：结账也方便，现金或者信用卡都可以。

杰森：看来，下次我父母来，也可以给他们订这个宾馆。

汉娜：是啊，他们一定会满意。最重要的是，离我们很近。

杰森：对了，宾馆有机场接送服务吗？

汉娜：他们可以提供接送服务，但是要收费。

边学边练 *Practice to learn*

1. 汉娜是怎么订宾馆的？ ______________________
2. 这家宾馆是什么价格？ ______________________
3. 宾馆怎么结账？ ______________________
4. 宾馆还有什么服务？ ______________________

功能句
Functional Sentences

【判断】 To make a judgement

1. 听说你父母要来看你，你肯定特别高兴。
2. A：下次我父母来，也可以给他们订这个宾馆。
   B：是啊，他们一定会满意。
3. 不用问，他肯定愿意跟咱们一起去。

【说明】 To tell about something

1. 高兴是高兴，可是也很头疼。
2. 说真的，我也很头疼。
3. 标准间一天 890，但是网上预订能打 6 折，所以是 500 多一天。
4. 结账也方便，现金或者信用卡都可以。

【安慰】 To console someone

1. 别着急，宾馆和酒店不是挺多的吗？
2. 别担心，有照片，我想没问题。
3. 好了，放心吧。

课堂活动与练习
Classroom Activities and Exercises

一、语音练习 *Pronunciation*

在家靠父母，出门靠朋友。
Zài jiā kào fùmǔ, chūmén kào péngyou.

单人间	dānrénjiān	single room	预订一个单人间	单人间的价格
套房	tàofáng	suite	套房比较贵	套房比标准间大得多
难过	nánguò	sad, upset	心里很难过	别难过，一定有办法。

二、大声读一读　*Read aloud*

词语 Words	例子 Examples	请你给出更多例子 More examples
头疼	看见他就头疼 为这事，他又难过又头疼。	
初	年初　月初 本学期初	
正好	你来得正好　这双鞋，你穿正好。 钱正好，不用找。	
打折	有的商品打折。　打几折？ 单人间打8折，套房不打折。	
提供	提供帮助　提供免费服务 我们免费为大家提供方便。	

三、替换词语说句子　*Substitution drills*

1. A：听说咱们的选修课不考试了。

   B：真的？大家肯定特别高兴。

下星期去郊外	一定愿意去
下学期开太极拳课	一定都想学
以后各种讲座会多一些	肯定会满意

2. A：我父母就要来了，高兴是高兴，可是也很头疼。

   B：为什么？

   A：我没有时间陪他们。

明天又考试	着急	也不太紧张	因为我复习了
又得听讲座	没意思	很有用	能多了解一些东西
马上就放假了	好	也很难过	我要回国了

3. A：他怎么还不回来啊？真让人着急。
B：别着急，给他打个电话看看。

怎么不打电话	别担心	他很安全
怎么样了	放心吧	我去看看
病好了没有	别着急	我去医院看看他

4. A：忙什么呢？
B：忙着找酒店，我父母马上就要来了。
A：购物中心那边不是有一个吗？
B：我怎么不知道？
A：刚开始营业不久。

宾馆	朋友要来玩儿几天	学校旁边
一家好点儿的饭馆	要请朋友吃饭	博物馆附近
药店	感冒了	银行旁边

5. A：我特别想看那个电影。
B：正好，我晚上有两张票。
A：那我就不客气了。

来晚了。	会还没开始呢	那太好了
明天要去机场接人。	下午口语老师在	那我正好可以请假
给你买的鞋合适吗？	不大也不小	那我就放心了

6. A：标准间一天多少钱？
B：网上预订能打6折，所以一天500多。
A：挺不错的。

套房一个晚上	现在预订能打5折	比标准间还便宜
这件外衣	这两天正在打折	差不多100多
电影票	每周二半价	30一张
这辆自行车	这星期都打3折	不到200块钱

四、练一练：完成对话 *Complete the following dialogues*

1. A：这几天忙什么呢？都看不见你。
   B：我父母要来看我，我还没帮他们订到酒店呢，______________。
   A：父母来多高兴啊，____________________，我看酒店挺多的呀。
   B：____________________，可是找合适的不容易。
   [……是……　别　头疼]

2. A：酒店很多，怎么会____________________呢？你想找什么样的酒店呀？
   B：我父母想____________________。
   A：对，住得近会____________________。
   B：可是我知道的酒店都挺远的。
   [订　近　比较]

3. A：____________________不是有个酒店吗？离咱们这儿挺近的。
   B：我去问过了，那个酒店太贵了，五星级的，____________________。
   A：哦，真是太贵了。
   B：对了，我们小区旁边有一个宾馆，上个月刚____________________________，我帮你去问问。
   A：那我自己去问吧。
   [晚上　营业　那儿]

4. A：我父母的酒店订好了，谢谢你帮忙。
B：不客气。你去宾馆看了吗？房间＿＿＿＿＿＿＿＿＿＿吧？
A：我没去，我是＿＿＿＿＿＿＿＿＿＿的。
B：你没去看看？
A：网上有宾馆的介绍，还有房间的照片，＿＿＿＿＿＿＿＿＿＿。
［网上　还　看起来］

5. A：你订的宾馆价格怎么样？
B：标准间一天890。
A：＿＿＿＿＿＿＿＿＿＿。
B：＿＿＿＿＿＿＿＿＿＿能打6折，所以一天是500多，而且＿＿＿＿＿＿＿＿＿＿。
A：那还不错。
［预订　免费　挺……的］

6. A：宾馆＿＿＿＿＿＿＿＿＿＿方便吗？
B：挺方便的，＿＿＿＿＿＿＿＿＿＿都可以。
A：看来，以后有朋友来就可以订这个宾馆了。
B：是啊，＿＿＿＿＿＿＿＿＿＿。
A：＿＿＿＿＿＿＿＿＿＿，离我们近，方便。
［结账　或者　满意　最……的是］

7. A：你朋友住的那家宾馆怎么样啊？
B：挺好的，＿＿＿＿＿＿＿＿＿＿，而且网上预订还打折。
A：他们有机场接送服务吗？
B：我问过，他们说，可以＿＿＿＿＿＿＿＿＿＿，但是＿＿＿＿＿＿＿＿＿＿。
［提供　收费　不仅］

五、小组活动 *Group work*

读后说一说 Read the following passage and talk about it.

网上购物越来越受欢迎

不用自己去商店，只要坐在电脑前面，简单操作（cāozuò, operate），就可以把你想要的东西买回家——网上购物，在中国越来越受欢迎（shòu huānyíng, be popular）。

以前人们担心网上买东西不安全，买了东西不合适怎么办。今天，人们不再为这些担心，网上购物安全、方便，最吸引人的就是网上购物便宜。

如果在网上买书，差不多都能打折，从8折到6折都有，最便宜可以打到5折，比去书店买便宜得多。

网上购物还有一个好处：人在北京，想买上海一个网店的东西也没问题，两三天、三五天就能送到。如果不是网上购物，人在北京的话，肯定只能买到北京商店里有的东西，上海商店里的东西，只有人去了上海才能买到。

任务一：大声读一读上面的文章。

Task 1: Read the passage aloud.

任务二：说一说你的网上购物经历、网上购物的好处或者坏处。

Task 2: Talk about your online shopping experiences as well as the pros and cons of online shopping.

六、复习与表达 *Review and presentation*

1. 双人对话 Pair work: Make dialogues.

A	B
听说你朋友要来看你，你一定特别高兴吧？	
	我还没帮他预订好酒店呢。
宾馆和酒店不是挺多的吗？	

	那个酒店太贵了，一个晚上要2000多块呢。
对了，咱们小区旁边有一个刚开始营业的宾馆，你去那儿问问。	
	订好了，谢谢你帮忙。
你去宾馆看了吗？房间怎么样？	
	标准间一天800多，网上预订能打6折。
	除了能打折，还有免费早餐呢。
结账方便吗？	
	他们一定会满意，离我们多近啊。

2. 课堂展示　Presentation

角色扮演　Role-play

（1）A的朋友要到A学习的城市来旅游，请A帮他找个宾馆，希望干净、便宜、交通方便，A找了两家都不行，B告诉A可以看看赛家酒店。

（2）A在网上了解了赛家酒店的情况，电话预订了房间，他很感谢B。

（3）A和B商量，他应该带朋友去哪儿玩儿。

（4）B觉得A应该带朋友去看看书法展览、中国画展览，还应该听一次京剧。

参考词语和句式

正头疼呢　预订酒店　着急　干净　交通方便　便宜

去……看看　上网看了看　有照片　挺好的　网上订

电话预订　打折　谢谢你帮忙　朋友一定会满意　我是导游

去哪儿好呢　名胜古迹　这个季节　风景优美　好是好

最有特点的是　书法　中国画　京剧　脸谱　化妆

买票不难　送到家

挑战自我
Challenge Yourself

一、词语扩展任务 *Vocabulary building task*

仿照例子做扩展练习。

Read aloud and do the exercises following the examples.

练习一

餐	早餐　餐车　一日三餐
	（列举更多带“餐”的词语　Try to give more words or phrases with “餐”）

练习二

结帐　现金　信用卡　免费
（列举更多与结账、付款相关的词语　Try to give more words or phrases related to paying bills）

练习三

着急	很着急 不着急 别着急 大家都着急了。 为这事儿着过急吗？	非常着急 不太着急 别太着急 你着急不着急？ 没着过急。	太着急了 有点儿着急 没着急
满意	（Try to use "满意" with "很","太","不","没有","有点儿","了" and "吗"）		

抓紧	抓紧时间 没抓紧时间 抓得很紧 一点儿都不抓紧 你们抓紧时间了吗？	抓紧复习 不抓紧时间不行 抓得不紧 抓得一点儿都不紧 最近你学习上抓紧没抓紧？	抓紧时间完成 时间抓得很紧
了解	（Try to use "了解" with "了", "不", "没", "一点儿", "一些" and "清楚"）		

二、交际任务 *Communicative task*

给不同的酒店、宾馆打电话，了解一下他们的价格、服务，等等。

Call a few hotels to ask about their room rates and services, etc.

酒店	价格	服务（免费 / 收费）

这些话，我能脱口而出

17 我要一张去桂林的卧铺票

I want a berth ticket to Guilin

跟我读，学生词（一） 81

New Words I

1.	双卧	shuāngwò		berth tickets for a round trip by train
	双	shuāng	*adj.*	double, dual
2.	往返	wǎngfǎn	*v.*	go and return, travel to and fro
3.	卧铺	wòpù	*n.*	sleeping berth
4.	住宿	zhùsù	*v.*	stay, get accommodation
5.	交通	jiāotōng	*n.*	traffic, transportation
6.	包括	bāokuò	*v.*	include, consist of
7.	门票	ménpiào	*n.*	entrance ticket, admission ticket
8.	主要	zhǔyào	*adj.*	main, principal
9.	景点	jǐngdiǎn	*n.*	scenic spot
10.	旅行社	lǚxíngshè	*n.*	travel agency

专有名词 Proper Noun

桂林	Guìlín	Guilin, a city in Guangxi Province

课　文（一） 82

Text I

（杰森想去旅游，汉娜帮他找了一条旅游路线）

汉娜：杰森，你不是说要去旅行吗？你看看这个广告。

杰森：“桂林双卧，5天1150”，什么是“双卧”？

汉娜：双卧就是往返都坐火车，都是卧铺票。

杰森：哦，明白了。我正想去桂林呢。

汉娜：我觉得不错，多便宜啊！

杰森：就是，我昨天上网查了一下，到桂林的票要400左右，往返就要800多。

汉娜：对啊，还要加上住宿、交通和吃饭，去5天，最少也要1300到1400吧。

杰森：对了，这1150块包括门票吗？

汉娜：我看看，广告上说，主要景点的门票都包括。

杰森：哦。便宜是便宜，我担心会不会时间太短了。

汉娜：还可以吧，除了路上两天，还有3天的时间呢，我觉得够了。

杰森：好，我马上给旅行社打电话问问。

边学边练 *Practice to learn*

1. 汉娜找的旅游广告是什么内容？ ______________________
2. 什么是“双卧”？ ______________________
3. 自己去桂林的话，5天得多少钱？ ______________________
4. 杰森觉得旅行社的价格、时间怎么样？

____

跟我读，学生词（二） 83

New Words II

1.	硬卧	yìngwò	*n.*	hard sleeper
2.	软卧	ruǎnwò	*n.*	soft sleeper
3.	下铺	xiàpù	*n.*	lower berth
4.	上铺	shàngpù	*n.*	upper berth
5.	硬座	yìngzuò	*n.*	hard seat
6.	次	cì	*n.*	(*for train number*) order, sequence
7.	刷卡	shuākǎ	*v.*	use a card, swipe a card
8.	付	fù	*v.*	pay
9.	找	zhǎo	*v.*	give change

专有名词　Proper Noun

云南	Yúnnán	Yunnan Province

课文（二） 84

Text II

杰　森：汉娜，我还是决定自己去旅行，先去桂林，然后去云南。

汉　娜：好啊。你打算怎么去？坐火车还是坐飞机？

杰　森：坐火车。你能陪我去买火车票吗？我怕说不清楚。

汉　娜：别担心，我陪你去。

（在火车票售票处）

杰　森：您好！我要一张30号去桂林的票，要卧铺。

售票员：30号，只有下午的票。硬卧还是软卧？

杰　森：软卧多少钱？

售票员：软卧623，硬卧400多。

杰　森：那要硬卧吧，有下铺吗？

售票员：下铺没有了，上铺行吗？

杰　森：上铺啊？还有别的票吗？

售票员：硬座还有，要吗？

杰　森：坐硬座太累了。那我还是要硬卧上铺吧。

售票员：30号，T5次，硬卧上铺，415。

杰　森：能刷卡吗？

售票员：不行，要付现金。

杰　森：好的，给您500。

售票员：找你85，拿好钱和票。

汉　娜：看你，多棒呀！其实你根本不需要我帮忙。

边学边练　*Practice to learn*

1. 杰森打算怎么去旅行？ ______________________
2. 杰森为什么让汉娜陪他去买火车票？ ______________________
3. 杰森买的是哪天的什么票？ ______________________

功能句
Functional Sentences

【同意】 To express agreement

1. A：我觉得不错，多便宜啊！
   B：就是。
2. A：我昨天上网查了一下，到桂林的票要400左右，往返就要800多。
   B：对啊。
3. A：我还是决定自己去旅行。
   B：好啊。

【担心】 To express worry

1. 我担心会不会时间太短了。
2. 你能陪我去买火车票吗？我怕说不清楚。
3. 我要是说不清楚怎么办呀？

【解释】 To make an explanation

1. 双卧就是往返都坐火车，都是卧铺票。
2. 双卧的意思是往返都坐火车，都是卧铺票。
3. 看你，多棒呀！其实你根本不需要我帮忙。

【拒绝】 To reject

1. A：能刷卡吗？

B：不行，要付现金。

2. A：能刷卡吗？

B：不能，只能付现金。

3. A：能刷卡吗？

B：您还是付现金吧。

课堂活动与练习
Classroom Activities and Exercises

一、语音练习 *Pronunciation*  

读万卷书，行万里路。

Dú wàn juàn shū, xíng wàn lǐ lù.

原因	yuányīn	reason	迟到的原因	我喜欢京剧的原因很简单。
艺术	yìshù	art	京剧艺术	书法是艺术。
练习	liànxí	practice	练习说汉语	天天都练习书法
保险	bǎoxiǎn	insurance	买一份保险	保险公司

二、大声读一读 *Read aloud*

词语 Words	例子 Examples	请你给出更多例子 More examples
正	正说话呢　我正要找你。 他进来的时候，我正打电话呢。	
主要	主要原因　今天主要练习写汉字。 最主要的困难是没有时间。	
然后	先写作业，然后再聊天儿。 先问清楚，然后再决定。	
清楚	听清楚了吗？　事情已经清楚了。 这个字没写清楚。	

刷卡	刷卡很方便。　可以刷卡。 能刷卡结账吗？	
付	付现金　付房租 这个要付钱，不是免费的。	

三、替换词语说句子　*Substitution drills*

1. A：你不是说要去旅行吗？
   B：对呀，我很喜欢旅行，我希望每个周末都有机会去。
   A：就是，我也这么想。

听音乐会
看京剧
踢球

2. A：你能陪我去买火车票吗？
   B：当然可以。
   A：谢谢，我怕我说不清楚。

去旅行社	我听不懂
在这里等他	他不认识我
去见客户	有的事我不能决定

3. A：我怕时间太紧张。
   B：不用担心，一点儿问题也没有。

担心我唱不好。	肯定没问题
要是考不好怎么办呀？	你肯定能考好
怕我做的菜你们不爱吃。	我们肯定喜欢

4. A：一个人1150，包括门票吗？
   B：不包括，门票还要付钱。

一个晚上260	早餐
一个人2000	住宿
一张票980	保险

5. A：我决定自己去旅行，先去桂林，然后去云南。
B：这个主意不错。

每天早点儿起	去跑步	吃早饭
下课以后抓紧时间	写作业	去运动
参加汉语口语比赛	准备资料	好好儿练习

6. A：能刷卡吗？
B：不行，要付现金。

进去	对不起	过一会儿再进吧
吃饭了	不能	还没做好呢
拿走	不行	我们还要用

四、练一练：完成对话 *Complete the following dialogues*

1. A：你不是说要去旅行吗？这儿有一个广告。
B：去桂林，__________，我__________呢。
A：__________，“桂林双卧，5天1150”。
B：不错，价格挺便宜的。

[正想　太好了　你看]

2. A：广告上说，“桂林双卧，5天1150”，什么是“双卧”呀？
B：双卧就是__________，都是卧铺票。
A：那挺__________的。
B：是啊，而且现在__________。

[不好买　往返　舒服]

3. A：我听说，到桂林的火车票__________，往返就要800多。
B：对啊，自己去玩儿的话，__________和吃饭，去5天，最少也要一千三四。

A：广告上说的1150块 ____________________ 吗？

B：你看，这儿写着呢，主要景点的门票都包括。

A：那真是便宜。 [加上 左右 包括]

4. A：你说，去桂林，5 天的时间够吗？1150 块，____________________，我担心会不会时间太短了。

B：我觉得还行，____________________，还有3天的时间，差不多够了。

A：出去玩儿，我不喜欢时间太紧张了，我还是 ____________________。

B：那也好啊。 [除了 决定 ……是……]

5. A：我去买火车票。

B：快去吧，____________________ 该没有卧铺了。

A：我怕 ____________________，你能 ____________________ 吗？

B：你肯定没问题，我陪你去。 [清楚 晚 陪]

6. A：您好！我要一张30号去桂林的票，要卧铺。

B：30号，下午。没有硬卧了，____________________。

A：软卧多少钱？

B：680。

A：那有动车吗？

B：有，____________________ 680一张。

A：有点儿贵，那31号的硬卧还有吗？

B：还有一张，上铺行吗？下铺没有了。

A：多少钱？

B：450。

A：那好，就要 ____________________ 吧。 [上铺 也是 软卧]

五、小组活动 *Group work*

旅行计划 A travel plan

任务一：设计一个7天的旅行计划，包括住宿、交通、景点等安排。

Task 1: Make a travel plan for 7 days, including details about accommodation, transportation, sightseeing, etc.

任务二：向大家介绍你们的旅行计划。

Task 2: Present your travel plan to your classmates.

任务三：评选最佳旅行计划。

Task 3: Vote for the best travel plan.

六、复习与表达 *Review and presentation*

1. 双人对话 Pair work: Make dialogues.

A	B
你不是想去桂林吗？你看看这个广告。	
	双卧就是往返都坐火车，都是卧铺票。
	是不错，多便宜啊！
这个广告的价格便宜吗？如果自己去桂林，得多少钱？	
	你看，广告上说，主要景点的门票都包括。
这个价格是不贵，会不会时间太短了？往返路上两天，还有3天的时间玩儿，够吗？	
我想了，我还是想自己去旅行。	

	你肯定能说清楚，没关系，我陪你去。
您好！我要一张30号去桂林的卧铺票。	
	软卧比硬卧贵200多？
能刷卡吗？	

2. 课堂展示　Presentation

角色扮演　Role-play

（1）两个人商量，放假以后是自己去旅游还是参加旅游团（lǚyóutuán, tour group）。

（2）两个人商量，自己去旅游是坐飞机还是坐火车。

（3）A 建议 B 去桂林旅游可以参加旅游团。

（4）A 和 B 要到中国朋友家去做客，中国朋友还会带他们在当地（dāngdì, local place）旅游，他们商量，去中国朋友家时带点儿什么礼物。

参考词语和句式

旅游团　便宜　自己去　贵一些　麻烦　但是　肯定
玩儿得好　还是自己去　想怎么玩儿就怎么玩儿　想去哪儿就去哪儿
想玩儿多长时间就玩儿多长时间　还是坐火车　比较便宜　看风景
旅游团也不错　包括吃、住、车票　都有人管　朋友家　做客
那儿　名胜古迹　风景优美　带　有特点的礼物

挑战自我
Challenge Yourself

一、词语扩展任务　*Vocabulary building task*

仿照例子做扩展练习。

Read aloud and do the exercises following the examples.

练习一

票	门票　发票　买票 （列举更多带"票"的词语　Try to give more words or phrases with "票"）

练习二

北京　颐和园　桂林　哈尔滨
（列举更多中国的旅游的地方和景点　Try to give more names of places or scenic spots in China）

机场　骑自行车　停车场
（列举更多与交通相关的词语　Try to give more words or phrases related to transportation）

练习三

付—找　接—送　上—下　往—返
（列举更多对反义词（动词） Try to give more pairs of antonyms (of verbs)）

二、交际任务　*Communicative task*

找一个旅游广告看一看，然后给旅行社打电话了解具体情况。

Find a tourism advertisement and then call the travel agency to ask about the details.

这些话，我能脱口而出

18 据说，这些都是手工的
It is said that all of these are handmade

跟我读，学生词（一）
New Words I

1.	南方	nánfāng	*n.*	south, southern part of the country
2.	人山人海	rén shān rén hǎi	*idm.*	sea of people, huge crowds of people
	海	hǎi	*n.*	sea
3.	美	měi	*adj.*	beautiful
4.	山水	shānshuǐ	*n.*	mountains and rivers, scenery with hills and waters
5.	值得	zhídé	*v.*	be worth
6.	世界	shìjiè	*n.*	world
7.	据说	jùshuō	*v.*	it is said, they say
8.	少数民族	shǎoshù mínzú		ethnic minority
	少数	shǎoshù	*n.*	small number, minority
	民族	mínzú	*n.*	nation, ethnic group
9.	不同	bù tóng		different
10.	传统	chuántǒng	*n.*	tradition

专有名词 Proper Noun

丽江	Lìjiāng	Lijiang, a place in Yunnan Province

课 文（一）

Text I

（杰森去旅行，刚刚回来）

友美：听说你去旅行了。

杰森：对，我去了桂林，还去了丽江，昨天刚回来。

友美：电视上说，这个季节去南方旅游的人特别多，还说很多景点、公园都是人山人海。

杰森：没错，我也刚学了这个词，“人山人海”。特别是火车站，人确实很多，真的像山一样，像海一样。

友美：那你玩儿得怎么样？

杰森：非常好。桂林非常漂亮，就像画儿一样美。

友美：中国有一句话说，“桂林山水甲天下[①]”，看来一点儿没错。

杰森：是，不过，丽江更值得去，我觉得那儿是世界上最美的地方。

友美：据说，那里的人很多都是少数民族。

杰森：对，有好多不同的少数民族，风俗传统都不一样，非常有意思。

边学边练 *Practice to learn*

1. 什么叫“人山人海”？ ______________________
2. 杰森觉得桂林怎么样？ ______________________
3. 丽江怎么样？ ______________________
4. 杰森对少数民族怎么评价？ ______________________

跟我读，学生词（二） 88

New Words II

1.	拍	pāi	*v.*	take (a picture), shoot (a film)
2.	船	chuán	*n.*	boat, ship
3.	景色	jǐngsè	*n.*	scenery, view
4.	幅	fú	*m.*	*used for paintings, scrolls, cloth, etc.*
5.	歌舞	gēwǔ	*n.*	song and dance
6.	服装	fúzhuāng	*n.*	clothing, dress, costume

① 桂林山水甲天下（Guìlín shānshuǐ jiǎ tiānxià）：Guilin's scenery is the best in the world.

7. 戴	dài	*v.*	wear
8. 头饰	tóushì	*n.*	headgear, hair accessories
9. 手工	shǒugōng	*n.*	handwork
10. 摄影	shèyǐng	*v.*	take a photograph, shoot a film

专有名词 Proper Noun

漓江	Lí Jiāng	Lijiang River (in Guilin, Guangxi Province)

课文（二） 89 

Text II

（友美在看杰森拍的照片）

友美：这些都是你拍的照片吗？这么多。

杰森：对，都是这次旅行拍的。

友美：这是在桂林吗？

杰森：对，这是我们在漓江的船上。

友美：景色太美了，就像一幅画儿一样。

杰森：这是我们看的一场少数民族歌舞表演，他们穿的都是自己民族的传统服装。

友美：我喜欢他们头上戴的这些头饰。

杰森：据朋友说，他们的头饰和服装都是手工的。

友美：做这些要花多长时间啊？

杰森：不知道，但是肯定得花很长时间。

友美：你这些照片太棒了！我觉得你可以办一个摄影展览了。

杰森：你这个主意不错，可以大家一起办，每个人都把旅行拍的照片带过来，给大家讲讲照片里的故事。

友美：我同意。

边学边练 *Practice to learn*

1. 友美怎么形容漓江的景色？ ______
2. 少数民族的传统服装有什么特点？ ______
3. 杰森最后出了个什么主意？ ______

功能句
Functional Sentences

【转述】 **To relate something as told by another person**

1. 电视上说，这个季节去南方旅游的人特别多，还说很多景点、公园都是人山人海。
2. 据说，那里的人很多都是少数民族。
3. 据朋友说，他们的头饰和服装都是手工的。
4. 报纸上说，明后天可能有雨。

【描述】 **To make a description**

1. 很多景点、公园都是人山人海。
2. 桂林就像画儿一样美。
3. 你这些照片太棒了！
4. 漓江美极了！

【比较】 **To make a comparison**

1. 那里人确实很多，真的像山一样，像海一样。
2. 漓江的景色就像一幅画儿一样。
3. 漓江的景色和画儿没什么不同。

课堂活动与练习
Classroom Activities and Exercises

一、语音练习 *Pronunciation*

人心齐，泰山移。
Rénxīn qí, Tài Shān yí.

北方	běifāng	north, northern part of the country	北方人	北方冬天很冷。
研究	yánjiū	study, research	研究经济	值得研究
认真	rènzhēn	conscientious	做事认真	你太认真了。
帽子	màozi	hat, cap	你的帽子不是在头上吗?	出去要戴帽子，外面太冷了。
手套	shǒutào	gloves	两只手套　一副手套	冬天骑车肯定得戴手套。

二、大声读一读 *Read aloud*

词语 Words	例子 Examples	请你给出更多例子 More examples
南方	南方和北方不一样。 南方人喜欢吃米饭，北方人喜欢吃面食。	
美	美景　美酒　美食　美女 这个女孩儿长得真美！	
值得	那个展览值得看。 他的建议值得认真研究。	
戴	戴帽子　戴手套　戴眼镜	
办	办事　办展览　办公司 他正在办画展。	

三、替换词语说句子 *Substitution drills*

1. A：漓江的景色就像一幅画儿一样。
   B：确实是这样。

他说话	唱歌
房间大得	教室
小区漂亮得	花园

2. A：漓江的景色和画儿有什么不同吗？
   B：我看，没什么不同。

李老师说的	王老师说的	不一样	没什么不同
宾馆	酒店	不同	没什么不一样
今天去	明天去	不同	完全一样

3. A：听说，那个电影很值得看。
   B：我也想看呢。
   A：那咱们一起去吧。

个	地方	去
场	歌舞	看
本	书	买

4. A：据说，他们的服装都是手工的。
   B：真是太美了。

听朋友	那些帽子	漂亮极了
报纸上	这些手套	漂亮啊
电视上	这些东西	好看极了

5. A：漓江就像画儿一样美。
   B：确实是这样。

这个旅馆	家	舒服
我们的小区	公园	漂亮
这种水果	药	难吃

6. A：听说你在学京剧。
B：是啊。
A：学京剧要花很多时间吧？
B：确实需要很多时间，但是我喜欢。

练习书法
研究太极拳
学做中国菜

四、练一练：完成对话 *Complete the following dialogues*

（有的词可以用两次。Some of the given words or expressions can be used twice.）

1. A：我给你打了三四次电话，你 ________________。
B：我去旅行了，昨天 ________________。
A：走了好几天吧，________________ 去哪儿了？我也想去玩儿呢。
B：我去了桂林，还去了丽江，________________ 了一个星期。

[都　刚　走]

2. A：电视上说，这个季节去南方旅游的人特别多，还说很多景点、公园 ________________。
B：是啊，特别是火车站，________________ 人多得像山一样，像海一样。
A：汉语的成语很有意思，“人山人海”，一想，就知道人 ________________。
B：对，我也喜欢汉语的成语，又好记又 ________________。

[有用　人山人海　确实]

3. A：桂林 ________________ 吗？
B：太值得去了，中国有一句话说，“桂林山水甲天下”，说得 ________________。
A：从电视上看，桂林确实很美，就 ________________。
B：是，桂林真的漂亮极了！

[一点儿　像……一样　值得]

4. A：丽江也很值得去吗？

B：丽江更值得去了，我觉得那儿是世界上最美的地方。

A：据说，那里的人很多 ________________。

B：对，那儿有好多 ________________，而且 ________________ 都不一样。　　[传统　不同　少数民族]

5. A：这么多照片？都是 ________________ 的吗？

B：对呀，这是在桂林，这是我们在漓江的 ________________。

A：景色太美了，就像一幅画儿一样。这是谁呀？

B：这是我朋友，现在在香港，看他 ________________。

[船上　笑得……　拍]

6. A：你们还看了少数民族歌舞表演？

B：是啊，我发现很多少数民族 ________________。

A：他们穿的都是 ________________？真好看。

B：他们的服装很特别，好多都是 ________________。

[手工　又……又……　传统]

7. A：你这些照片真棒！

B：我正想用这些照片 ________________，让大家都能了解桂林、丽江，你说行吗？

A：这个主意多好啊！我觉得 ________________，每个人都把旅行拍的照片 ________________。

B：还能讲讲照片里的故事。

A：我 ________________。　　[同意　办　带]

五、小组活动 *Group work*

展示旅游拍的照片并说一说你的旅游故事。

Present some pictures you took during your trips and tell the stories of the trips.

六、复习与表达 *Review and presentation*

1. 双人对话 Pair work: Make dialogues.

A	B
听说你去旅行了。	
	“人山人海”的意思是，人特别特别多，多得像山一样，像海一样。
你在桂林玩儿得怎么样？	
	中国人常说，“桂林山水甲天下”，看来一点儿没错。
丽江值得去吗？	
	对，丽江很多人都是少数民族。
听说，不同的少数民族，风俗传统都不一样。	
	对呀，都是这次旅行拍的。
	没错，这是在漓江的船上拍的。
漓江真的像一幅画儿一样美，我一定要去。	
他们穿的是少数民族的传统服装吧？	

2. 课堂展示 Presentation

角色扮演 Role-play

（1）两个人不认识，在买火车票的地方，A 给 B 介绍桂林的风景。

（2）A 去过丽江，给 B 介绍丽江的少数民族歌舞和服装特点。

（3）A 去过……，给 B 介绍那里的情况。

（4）两个人是好朋友，商量要去……旅游，因为听说那里特别美。

参考词语和句式

火车票没了　就想去桂林　听说　去过　景色　美极了
幅　像……一样　值得　世界　不同　少数民族　爱唱歌
爱跳舞　唱得也好，跳得也好　服装　手工　花时间　风景
文化　很值得去

挑战自我
Challenge Yourself

一、词语扩展任务　*Vocabulary building task*

仿照例子做扩展练习。

Read aloud and do the exercises following the examples.

练习一

人山人海　入乡随俗　春暖花开
（列举更多成语　Try to give more idioms）

美　好看　漂亮
（列举更多表示"漂亮"的词语　Try to give more words or phrases meaning "good-looking"）

中国　北京　上海 ‖ 法国　巴黎 ‖ 芬兰　赫尔辛基
（列举更多的国家和这个国家的城市　Try to give the names of more countries and the names of cities in these countries）

练习二

不同	他们的想法不同。　南方人和北方人的习惯不同。 我的爱好跟他的不同。 太不同了　有点儿不同　没什么不同 不同的人有不同的爱好。　两幅图有什么不同吗？
一样	（Try to use "一样" with "不"，"跟"，"和" and "的"）

二、交际任务 *Communicative task*

选一些你最喜欢的照片做成 PPT，给大家讲一讲。可参考下面的题目。

Select some of your favorite pictures to make a PowerPoint presentation and talk about them. The following topics are for your reference.

1. 一次旅行
2. 我的故乡
3. 我的家
4. 我的朋友

这些话，我能脱口而出

19 我在准备自己的简历

I am preparing my CV

跟我读，学生词（一） 91

New Words I

1.	继续	jìxù	*v.*	continue, go on
2.	接着	jiēzhe	*v.*	carry on, go on
3.	专业	zhuānyè	*n.*	specialized subject, major
4.	方面	fāngmiàn	*n.*	aspect, respect
5.	律师	lǜshī	*n.*	lawyer, attorney
6.	事务所	shìwùsuǒ	*n.*	agency, office
7.	接	jiē	*v.*	receive, take
8.	啊	a	*part.*	*attached to the end of each item enumerated*
9.	传真	chuánzhēn	*n.*	fax
10.	主管	zhǔguǎn	*n.*	person in charge
11.	经验	jīngyàn	*n.*	experience
12.	推荐	tuījiàn	*v.*	recommend

课文（一） 92

Text I

（杰森和汉娜在说毕业后的打算）

汉娜：这个学期结束以后，你还想继续学吗？

杰森：我不想接着学了，我想找工作。

汉娜：是回国工作还是留在中国？

杰森：我不想回国，最好能在这里找到一份工作。

汉娜：那你想找什么样的工作呢？

杰森：我的专业是法律，我当然希望找法律方面的工作，但是这方面的工作太难找了。

汉娜：你不是在一个律师事务所实习过吗？

杰森：是啊，但是实习的时候，我们做的都是很简单的工作，在办公室接电话啊、收传真啊、发传真什么的。

汉娜：那你也得试一下啊。

杰森：我已经问过主管了，他说他们需要有经验的律师。

汉娜：太可惜了。

杰森：但是他给我写了推荐信，让我去别的公司试一试。

边学边练　*Practice to learn*

1. 杰森想在哪里找什么样的工作？ ______________________
2. 杰森实习的时候做的是什么工作？ ______________________
3. 杰森实习的地方需要什么样的人？ ______________________
4. 杰森还有别的机会吗？ ______________________

跟我读，学生词（二） 93

New Words II

1.	简历	jiǎnlì	*n.*	resume, curriculum vitae
2.	个人	gèrén	*n.*	individual, personal
3.	信息	xìnxī	*n.*	information
4.	教育	jiàoyù	*n.*	education, schooling
5.	经历	jīnglì	*n.*	past experience
6.	只要	zhǐyào	*conj.*	as long as, if only
7.	得到	dédào	*v.*	get, obtain
8.	外卖	wàimài	*n.*	takeaway, takeout

9.	销售	xiāoshòu	*v.*	sell, market
10.	推销	tuīxiāo	*v.*	promote sales
11.	祝	zhù	*v.*	wish
12.	成功	chénggōng	*v.*	succeed

课文（二） 94

Text II

（汉娜在准备简历）

友美：汉娜，你在忙什么呢？

汉娜：我在准备自己的简历。

友美：哦，开始找工作了。

汉娜：对，我想试一试。你帮我看看，这样写行吗？

友美：好，我看看。个人信息、教育经历、兴趣爱好，很好，这几个方面都很重要。工作经历还没写呢。

汉娜：我正想问你呢，打工、实习都要写进去吗？

友美：只要对得到这份工作有帮助，就可以写。

汉娜：哦，明白了。我送过外卖、教过英语、做过导游，实习时当过秘书，这些都可以写在简历里，对吗？

友美：你找的是什么工作？

汉娜：是一家公司市场部的销售，向客户推销产品。

友美：没问题，这些都可以。别忘了，还要写上推荐人。

汉娜：哦，对了，推荐人。我的老师和实习时的主管，他们都给我写了推荐信。

友美：太好了，祝你成功！

汉娜：谢谢你。我要是真能得到这份工作就好了。

边学边练　*Practice to learn*

1. 汉娜在忙什么？ ______
2. 汉娜有什么样的工作经历？ ______
3. 什么样的工作经历可以写进简历？ ______
4. 汉娜正在找的是什么工作？ ______

功能句
Functional Sentences

【列举】 To enumerate items

1. 我们实习的时候，工作就是发传真、接电话什么的。
2. 我们在办公室接电话啊、收传真啊、发传真啊，都是最简单的工作。
3. 我们的工作就是什么接电话啊、收传真啊、发传真啊，都挺简单的。

【条件】 To name a condition

1. 只要对得到这份工作有帮助，就可以写。
2. 我可以帮你带，只要东西不太多。
3. 字只要清楚就行。

【希望】 To express a hope

1. 我不想回国，最好能在这里找到一份工作。
2. 我当然希望找法律方面的工作。
3. 我要是真能得到这份工作就好了。

课堂活动与练习
Classroom Activities and Exercises

一、语音练习 *Pronunciation*

天生我材必有用。
Tiān shēng wǒ cái bì yǒuyòng.

文章	wénzhāng	article, essay	写文章	我最喜欢看他的文章。
心情	xīnqíng	mood	心情不错	说说你现在的心情。
明年	míngnián	next year	明年再见	明年的计划
意见	yìjiàn	opinion, objection	有什么意见	我对这样的安排有意见。
要求	yāoqiú	demand, requirement	没有要求	老师要求明天把文章写好。

二、大声读一读 *Read aloud*

词语 Words	例子 Examples	请你给出更多例子 More examples
接着	接着说 我先走了，你们接着玩儿。 你的文章没写完，还得接着写。	
接	接电话　到机场接客人 我接到了你的来信。	
什么的	买点儿水果什么的。 感冒、头疼什么的，都可以吃这种药。	
经验	学习经验　介绍一下你的经验。	
经历	工作经历　教育经历	
祝	祝你健康。　祝你进步。 祝你天天都有好心情。	

三、替换词语说句子 *Substitution drills*

1. A：明年，你还接着学吗？
   B：我不想接着学了，我想找份工作。
   A：你想找什么样的工作？
   B：最好是能用到汉语的工作。

我希望找一份教英语
我希望找和我的专业有关系
最好是不用天天上班

2. A：你们实习每天干什么？
   B：接电话啊、收发传真啊，都是最简单的工作。

学汉语	上什么课	听力呀、口语呀	重要的课
在公司	干什么	做市场研究啊、推销产品啊	有意思的工作
放假的时候	干什么	看电影啊、和朋友见面啊、上网啊	重要的事儿

3. A：简历怎么写啊？
   B：个人信息、教育经历、兴趣爱好什么的，都要写。

工作经历	你原来送外卖、教英语、当导游	可以
希望做什么工作	市场研究、产品推销	能
个人意见	你的想法、你的希望、你满意不满意	可以

4. A：咱们去哪儿呀？
   B：只要是郊外，去哪儿都行。

吃什么	是中餐	吃什么
看什么	不看京剧	看什么
怎么走	不坐公共汽车	怎么走

5. A：你可以帮我带些水果回来吗？
B：我可以帮你带，只要东西不太多。

看看我写的文章	看	只要字清楚就行
搬家	搬	只要不是周六就行
订酒店	订	只要你说清楚要求

6. A：简历交了吗？
B：交了，我要是真能得到这份工作就好了。

给他打电话	打	我要是真能见到他
跟老板说	说	老板要是真能听我们的意见
文章写	写	报纸要是真能用我的文章

四、练一练：完成对话 *Complete the following dialogues*

1. A：下学期你还想 ________ 吗？
B：我不想继续学了，我想找工作。
A：你想 ________ 还是在中国找工作？
B：我想先在这儿试试，________ 是在这儿找到一份我喜欢的工作。
［回国　接着　最好］

2. A：你的简历 ________ 了吗？
B：发出去了。
A：你想找什么样的工作呀？
B：我的专业是经贸，我肯定要找这方面的工作。
A：这方面的工作应该 ________ 找吧？你们还 ________。
［实习　容易　发］

3. A：你们的实习 ______________ 有帮助吗？

B：帮助不是特别大，______________ 我在律师事务所实习的时候，我们的工作就是在办公室接电话啊、收传真啊、______________。

A：太简单了。

B：是啊，可是现在找工作，他们都希望 ______________ 的律师。

［比如说　有经验　什么的　对］

4. A：你 ______________？

B：我在准备自己的简历。

A：开始找工作了？______________ 吗？

B：______________ 找你呢，你帮我看看，个人信息、教育经历、兴趣爱好，______________？

［这样　需要　忙　正想］

5. A：简历写得不错，就是 ______________ 还没写呢。

B：我正想问你呢，打工、实习可以写吗？

A：当然可以了，______________ 对 ______________ 有帮助，就可以写。

B：我想找的工作是经理办公室的秘书，我教过英语、做过导游，______________ 有帮助吗？

A：你就写上吧。

［算　只要　经历　得到］

6. A：你的工作经历 ______________，送过外卖、教过英语、做过导游。

B：我实习的时候还 ______________，这些都应该写在简历里吗？

A：你找的是什么工作呀？

B：一家 ______________，______________。

A：没问题，这些都可以写。

［当　超市　主要　丰富］

7. A：________________，简历还要写上推荐人。

B：对了，我的老师和实习时的主管，他们都给我写了推荐信。

A：太好了，________________。

B：谢谢你，我真希望能________________。

[祝　得到　别忘了]

五、小组活动　*Group work*

读后说一说　Read the following job advertisement and talk about it.

招聘启事

本幼儿园（yòu'éryuán, kindergarten）招聘（zhāopìn, recruit）英语外教一名。希望应聘者（yìngpìnzhě, candidate）来自英语国家，喜爱小孩儿，有耐心（nàixīn, patience），善于（shànyú, be good at）和孩子沟通（gōutōng, communicate）。

应聘者应具有大学本科学历。

有幼儿教学经验或者英语教学经验者优先（yōuxiān, have priority）。

七彩幼儿园

任务一：大声读一读上面的招聘启事。

Task 1: Read the job advertisement aloud.

任务二：说一说你是否愿意应聘这个工作，你的条件是否符合要求，你还想了解其他哪些情况。

Task 2: Tell us whether you'd like to apply for this job, whether you're qualified for it and what other information you want to know.

六、复习与表达 *Review and presentation*

1. 双人对话 Pair work: Make dialogues.

A	B
	我不想学了，我想找工作。
你打算回国还是留在中国工作？	
	我希望是和我的专业有联系的工作。
你的专业是什么呀？	
	对呀，我刚在一个律师事务所实习完。
你们实习的时候，干些什么工作呀？	
	我在准备自己的简历。
	我看到一个机会不错，我想试一试。
你看，简历这样写行吗？	
	还有，工作经历没写吧？
推荐人也很重要，写了吗？	

2. 课堂展示 Presentation

角色扮演 Role-play

（1）A 和 B 是同学，也是好朋友。A 学完汉语想在中国找工作。

（2）A 和 B 是同学，也是好朋友。B 还没想好，是在中国找工作，还是回国，也许他要先找找工作试试。

（3）A 的朋友写过简历，B 请他帮忙，看看 B 的简历写得怎么样。

（4）A 的朋友写过简历，B 请他帮忙，看看 B 的简历中，工作经历应该怎么写。

参考词语和句式

继续　接着　是……还是……　最好　找工作

很想　一边工作，一边旅游　还没想好　可能

也可能　也许　先试试　如果　不合适　再回国

刚刚　写过简历　帮帮忙　除了……还……　个人信息

兴趣爱好　教育经历　工作经历　推荐人　重要

挑战自我
Challenge Yourself

一、词语扩展任务　*Vocabulary building task*

仿照例子做扩展练习。

Read aloud and do the exercises following the examples.

练习一

姓名　出生年月　专业
（列举更多简历中常包括的内容　Try to give more items that are often included in a resume）

历史　经济　法律
（列举更多专业或课程的名称　Try to give more words or phrases of majors and subjects）

练习二

<table>
<tr><td rowspan="7">得到</td><td>得到了</td><td>没得到</td><td></td></tr>
<tr><td>得到礼物</td><td>得到了一件礼物</td><td></td></tr>
<tr><td>得到机会</td><td>得到一次好机会</td><td></td></tr>
<tr><td>能得到</td><td>得不到</td><td></td></tr>
<tr><td>一点儿也得不到</td><td>一点儿也没得到</td><td>什么也没得到</td></tr>
<tr><td>能得到吗</td><td>能不能得到</td><td></td></tr>
<tr><td>得到了吗</td><td>得到过什么好机会</td><td></td></tr>
<tr><td>看见</td><td colspan="3">（Try to use “看见” with “了”, “没”, “过”, “得”, “不”, “一点儿”, “什么”, “一次” and “能”）</td></tr>
</table>

二、交际任务 *Communicative task*

分别调查 5 个中国学生和 5 个外国留学生：学习完了，他们想在哪里工作，想做什么样的工作？

Ask five Chinese students and five students from other countries about their plans for the future after graduation, for example, where they want to work and what kind of jobs they want to do.

朋友	国家	想在哪里工作	想做什么样的工作

这些话，我能脱口而出

千万别再丢了

Make sure you don't lose it again

跟我读，学生词（一） 96

New Words I

1.	开演	kāiyǎn	*v.*	(of a play, movie, etc.) begin, start
2.	来得及	láidejí	*v.*	have enough time to do sth.
3.	锁	suǒ	*v.*	lock
4.	钥匙	yàoshi	*n.*	key
5.	丢	diū	*v.*	lose
6.	捡	jiǎn	*v.*	pick up
7.	售票处	shòupiàochù	*n.*	ticket office
8.	幸亏	xìngkuī	*adv.*	fortunately, luckily
9.	人家	rénjia	*pron.*	other people, certain person
10.	要不然	yàobùrán	*conj.*	or, otherwise
11.	幸运	xìngyùn	*adj.*	lucky
12.	千万	qiānwàn	*adv.*	be sure to, must

课　文（一） 97

Text I

（友美和铃木一起去看电影）

友美：铃木，快点儿，电影快开演了。

铃木：还有5分钟，来得及。

友美：把自行车锁好，别忘了。

铃木：好。哎，我的钥匙呢？在你那儿吗？

友美：没有啊。怎么，又丢了？

铃木：奇怪，我放哪儿了？

友美：别着急，好好儿找找，在不在你书包里？

路人：喂，同学，这是你的钥匙吧？

铃木：真是我的钥匙，你在哪儿捡到的？

路人：就在前边，离售票处不远。

铃木：哦，谢谢。

友美：幸亏人家帮你捡到了，要不然，又回不了家了。

铃木：真幸运啊！

友美：千万别再丢了。

铃木：好，下次一定注意。

边学边练 *Practice to learn*

1. 离电影开始还有多长时间？ ____________________
2. 铃木怎么了？ ____________________
3. 后来钥匙怎么找到的？ ____________________

跟我读，学生词（二） 98

New Words II

1.	报名	bàomíng	*v.*	sign up, enter one's name
2.	志愿者	zhìyuànzhě	*n.*	volunteer
3.	校园	xiàoyuán	*n.*	campus, schoolyard
4.	人们	rénmen	*n.*	people, public
5.	从来	cónglái	*adv.*	always, at all times
6.	垃圾	lājī	*n.*	rubbish, garbage
7.	扔	rēng	*v.*	throw, throw away
8.	垃圾箱	lājīxiāng	*n.*	rubbish bin

9. 劝	quàn	*v.*	try to persuade, advise
10. 节约	jiéyuē	*v.*	save, economize
11. 海报	hǎibào	*n.*	poster

课文（二） 99

Text II

（友美和铃木想报名参加志愿者，作环保宣传）

友美：下个星期是环保宣传周，我想报名参加志愿者活动。

铃木：好啊，我和你一起参加。怎么报名？

友美：只要在网上发个邮件就可以了，很简单。

铃木：我们都要做些什么呢？

友美：我们可以在校园里宣传，也可以跟其他志愿者一起，到路边向人们宣传。

铃木：好啊，在中国，我还从来没参加过这样的活动呢。

友美：我们可以提醒人们把垃圾扔到垃圾箱里，可以劝人们节约用水。

铃木：对，还可以劝他们少开车，多走路。

友美：对了，你会画画儿，你可以把这些画成海报。

铃木：这主意不错，我回去试试。

边学边练 *Practice to learn*

1. 友美和铃木想参加什么活动？ ______________________
2. 这个活动要怎样报名？ ______________________
3. 友美和铃木想提醒人们什么？ ______________________
4. 友美还想出了什么好主意？ ______________________

功能句
Functional Sentences

【提醒】 To remind someone of something

1. 快点儿，电影快开演了。
2. 把自行车锁好，别忘了。
3. 千万别再丢了。

【庆幸】 To rejoice at one's luckiness

1. 幸亏人家帮你捡到了，要不然，又回不了家了。
2. 真幸运啊！

【列举】 To enumerate items

1. 我们可以在校园里，也可以到路边向人们宣传。
2. 我们可以提醒人们把垃圾扔到垃圾箱里，可以劝人们节约用水，还可以劝他们少开车。
3. 我们可以宣传，发海报，还可以发一些环保资料。

课堂活动与练习
Classroom Activities and Exercises

一、语音练习 *Pronunciation*  

> 人非圣贤，孰能无过？
>
> Rén fēi shèngxián, shú néng wú guò?

电	diàn	electricity	电在生活中很重要。	要节约用电。
粮食	liángshi	grain, food	秋天收粮食。	节约粮食
钱包	qiánbāo	purse, wallet	漂亮的钱包	我的钱包丢了。

二、大声读一读 *Read aloud*

词语 Words	例子 Examples	请你给出更多例子 More examples
幸亏	幸亏有你 幸亏你提醒，要不然我就忘了。	
人家	这是人家的，不是我的。 歌是唱给人家听的，文章是写给人家看的。	
千万	千万别忘了。　千万别去那儿。 你千万得记住。	
从来	从来没去过那儿　从来没听说过 这里从来就是这样。	
劝	不用劝　劝她休息休息。 好好儿劝劝她，别生气了。	
节约	节约用电　节约用水 节约时间　节约粮食	

三、替换词语说句子 *Substitution drills*

1. A：快点儿，电影快开演了，来不及了。
   B：还有5分钟，来得及。

讲座	开始	还有时间
节目	开演	还差10分钟呢
晚会	开始	还有人没来呢

2. A：我的钥匙呢？你看见了吗？
   B：没有啊。怎么，又丢了？
   A：奇怪，我放哪儿了？
   B：别着急，好好儿找找。

学生卡	看看，在不在你钱包里。
护照	看看，在不在你的书包里。
帽子	那不是在你头上戴着呢吗？

3. A：幸亏有人捡到了，要不然，又回不了家了。

B：我真幸运啊！

你回来了	我就进不去	你
碰见了你	我肯定找不到路	你
来得早	就没座位	我们

4. A：把钥匙拿好，千万别丢了。

B：放心吧。

把卡收好了	小心，别找不到了
天冷了	别感冒
晚点儿也没关系	别着急

5. A：我们在哪儿作环保宣传啊？

B：我们可以在校园里、在学校门口、在路边，向人们宣传。

怎么	提醒人们别乱扔垃圾，节约用水，少开车，多走路
什么时候	早上人们上班的时候、中午人们休息的时候，向他们宣传
找谁	找老师、同学，还有自己的朋友

6. A：参加我们的晚会吧。

B：太好了，我还从来没参加过这样的活动呢。

跟	一起去上海	去过上海
和	一起去看京剧	看过京剧
跟	去二手商品市场看看	去过二手商品市场

四、练一练：完成对话 *Complete the following dialogues*

（有的词可以用两次。Some of the given words or expressions can be used twice.）

1\. A：我的雨伞呢？你看见了吗？

B：没有啊。____________________？

A：____________________，我放哪儿了？

B：别着急，好好儿找找，你看，____________________呢吗？

［不是　怎么　奇怪］

2\. A：快点儿走吧，____________________了。

B：____________________，还有5分钟呢。

A：肯定____________________，老迟到多不好啊。

B：行，快点儿，你跑吧，我跟着。［来不及　来得及　迟到］

3\. A：我的自行车钥匙呢？怎么没了？

B：你放哪儿了？看看在不在书包里。

C：这是你的钥匙吗？

A：____________________钥匙，你____________________的？

C：就在前边。

A：太谢谢你了。

B：____________________捡到了，____________________就麻烦了。

［捡到　要不然　真是　幸亏］

4\. A：你____________________，老丢东西，还____________________找到。

B：还是不丢好，多着急呀。

A：下次____________________。

B：下次我一定注意。［老　幸运　千万］

5\. A：听说下个星期有____________________，我____________________

参加志愿者活动。

B：我也想参加呢，咱们一起报名吧。

A：好啊，怎么报名啊，你知道吗？

B：________________就可以，挺________________。

A：那咱们试试。　　　　　　　　　　［简单　好像　活动　报名］

6. A：在中国，我还从来没参加过环保宣传活动呢，我们在哪儿宣传呀？

B：哦，________________，也可以在路边。

A：________________扔到垃圾箱里，________________用水，________________，少开车，多走路，是吗？

B：对。

A：我会画画儿，我能画一些海报，________________吗？

B：那当然更好了。　　　　　　　　　［提醒　节约　发　可以］

7. A：请您________________垃圾扔到________________。

B：这里没有垃圾箱。

A：您看，那儿，树下面就有，________________。

B：哦，我没看见，________________。

［离这儿　里　提醒　把］

五、小组活动　*Group work*

看图说一说　Look at the pictures and talk about them.

任务一：说一说每张画儿的内容。

Task 1: Tell what's in each picture.

任务二：说一说，为了环保我们应该怎么做。

Task 2: Talk about what we should do to protect the environment.

六、复习与表达 *Review and presentation*

1. 双人对话　Pair work: Make dialogues.

A	B
	来得及，还有 5 分钟呢。
我的钥匙呢？在你那儿吗？	
	别着急，好好儿找找，在不在你书包里？
真是我的钥匙，你在哪儿捡到的？	
	我真幸运啊！
	下次我一定注意。
下个星期是环保宣传周，我想报名参加志愿者活动。	
	只要在网上发个邮件就可以，不难。
咱们在哪儿宣传呀？	
	提醒人们把垃圾扔到垃圾箱里，还可以告诉大家，要节约用水。
我们还可以劝大家少开车，多走路。	

2. 课堂展示　Presentation

角色扮演　Role-play

（1）一个人捡到一把钥匙，问另一个人是不是他丢的。

（2）一个人捡到一个钱包，问另一个人是不是他丢的。

（3）两个环保志愿者在劝路人把垃圾扔到垃圾箱里。

（4）两个环保志愿者在劝路人不要随地吐痰。

参考词语和句式

钥匙　丢　在哪儿　捡　幸亏　千万

钱包　里面　什么东西　为了环保　垃圾

扔到　垃圾箱　为了大家　不要随地吐痰

挑战自我
Challenge Yourself

一、词语扩展任务 *Vocabulary building task*

仿照例子做扩展练习。

Read aloud and do the exercises following the examples.

练习一

者	志愿者　读者　老者
	（列举更多带“者”的词语　Try to give more words or phrases with “者”）

练习二

丢　捡　吃　睡　病
（列举更多一个字的动词　Try to give more one-character verbs）

练习三

来得及	来不及　　没来得及　　来不及了 来不及告诉他　　没来得及告诉他　　时间来不及了 车快开了，恐怕来不及了。 来得及吗　　来得及来不及　　还来得及
进得去	（Try to use “不”，“没”，“了” and “吗”）
出不来	（Try to use “得”，“了” and “吗”）

二、交际任务　*Communicative task*

小调查：请填写以下调查表，在你选择的项目下画“√”。

Survey: Complete the following form by ticking the items of your choice.

做法	和环保有关系	和环保没关系	好的做法	不好的做法
多种树				
经常迟到				
白天房间开着灯				
电脑 24 小时开着				
多走路，多坐公交车				

不收拾屋子				
少洗衣服				
不用洗衣机洗衣服				
把垃圾扔在垃圾箱里				
注意节约用水				
不吃早餐				
吃不完的东西就扔了				
夏天不用空调				
爬楼梯，不坐电梯				
坐火车，不坐飞机				
每个星期都买新衣服				

这些话，我能脱口而出

85%以上的人都看这个节目

More than 85% of people watch this program

跟我读，学生词（一） 101

New Words I

1.	请教	qǐngjiào	*v.*	ask for advice, consult (sb. about sth.)
2.	多么	duōme	*adv.*	(*used in an exclamatory sentence to indicate high degree*) how, what
3.	感觉	gǎnjué	*n.*	feeling, sensation
4.	联欢	liánhuān	*v.*	have a get-together, have fun together
5.	调查	diàochá	*v.*	investigate, survey
6.	结果	jiéguǒ	*n.*	result, outcome
7.	百分之……	bǎi fēnzhī……		percent
8.	以上	yǐshàng	*n.*	more than, above
9.	成	chéng	*v.*	become
10.	想象	xiǎngxiàng	*v.*	imagine
11.	亿	yì	*num.*	hundred million
12.	同时	tóngshí	*n.*	at the same time, meanwhile
13.	水平	shuǐpíng	*n.*	standard, level
14.	正常	zhèngcháng	*adj.*	normal, regular

专有名词　Proper Noun

春节联欢晚会	Chūn Jié Liánhuān Wǎnhuì	Spring Festival Gala

课 文（一） 102

Text I

（杰森和李雪在说看电视的问题）

杰森：李雪，我有个问题想向你请教。

李雪：你太客气了。什么问题，你说吧。

杰森：为什么对中国人来说，电视这么重要？

李雪：重要吗？我没觉得电视有多么重要啊。

杰森：你的感觉肯定不对，我觉得对很多人来说，电视差不多是最重要的。

李雪：你为什么这么说呢？

杰森：我先问你几个问题，你每天晚上看电视吗？

李雪：看啊。

杰森：都看什么？

李雪：一般看看新闻，有时候看看电视剧。

杰森：你每年春节的时候，看不看春节联欢晚会？

李雪：看啊。

杰森：好，这些问题我问过很多人，调查结果是，80%（百分之八十）以上的人都和你差不多，每天晚上看电视。而且有85%以上的人春节都看春节联欢晚会。

李雪：哦，是这样的，春节看晚会差不多成中国人过春节的传统了。

杰森：我不能想象，十几亿人同时看一个电视节目。

李雪：我觉得春节一家人在一起，吃吃饭，聊聊天儿，一起看看电视，就是为了高兴。而且春节晚会上一般都是一些比较有名的演员，节目水平也比较高，挺正常的。

边学边练 *Practice to learn*

1. 杰森向李雪请教什么问题？________________

2. 在电视对中国人重要不重要的问题上，李雪、杰森的感觉一样吗？具体说一说。

____

3. 为什么杰森觉得电视对中国人特别重要？

____

4. 杰森不能想象什么？________________

5. 为什么中国人都要看春节联欢晚会？

____

跟我读，学生词（二） 103

New Words II

1.	谈话	tánhuà	*v.*	talk, chat
2.	耽误	dānwu	*v.*	delay, hold up
3.	强	qiáng	*adj.*	strong, powerful
4.	球队	qiúduì	*n.*	(ball game) team
5.	屏幕	píngmù	*n.*	screen
6.	球迷	qiúmí	*n.*	(ball game) fan
	迷	mí	*v.*	be a fan of, be crazy about
7.	气氛	qìfēn	*n.*	atmosphere
8.	体验	tǐyàn	*v.*	experience, learn through personal experience

专有名词 Proper Noun

欧洲	Ōu Zhōu	Europe

课文（二） 104

Text II

（马丁和友美都喜欢看体育比赛）

马丁：我有个问题想问问你。

友美：什么问题？说吧。

马丁：你每天看电视吗？

友美：经常看。

马丁：都看哪些节目？

友美：什么新闻啊、体育比赛啊，还有谈话节目，都喜欢看。

马丁：你不看电视剧吗？

友美：一般不看，我觉得太耽误时间，而且也没什么意思。

马丁：我也喜欢看体育节目，特别是足球。

友美：哎，今天晚上有一场比赛，是欧洲最强的两支球队。

马丁：对，我已经约好了，和朋友一起看，你也一起来吧。

友美：你们去哪儿看？不在家里看吗？

马丁：我们去酒吧看。

友美：为了喝酒？

马丁：不，为了看球。那里不但有大屏幕电视，还有很多球迷，看球气氛很重要。

友美：那好，我也和你们一起去，也去体验一下。

边学边练 *Practice to learn*

1. 友美看什么电视节目？ ____________________
2. 友美为什么不看电视剧？ ____________________
3. 马丁喜欢看什么？ ____________________
4. 今晚他们要去哪儿？为什么？ ____________________

功能句
Functional Sentences

【开始话题】 To start a topic

1. 我有个问题想向你请教。
2. 我有个问题想问问你。
3. 想和你商量商量……
4. 想了解一下……

【反对、不赞成】 To express objection or disagreement

1. A：为什么对中国人来说，电视这么重要？
   B：我没觉得电视有多么重要啊。
2. 你的感觉肯定不对。
3. 我不同意你说的。
4. 我不这样认为。

【报告】 To give a report

1. 调查结果是，80%（百分之八十）以上的人都和你差不多，每天晚上看电视。而且有 85% 以上的人春节都看春节联欢晚会。
2. 今天晚上有一场比赛，是欧洲最强的两支球队。

【解释】 To make an explanation

1. 是这样的，春节看晚会差不多成中国人过春节的传统了。
2. A：你不看电视剧吗？
   B：一般不看，我觉得太耽误时间，而且也没什么意思。
3. A：为了喝酒？
   B：不，为了看球。那里不但有大屏幕电视，还有很多球迷，看球气氛很重要。

课堂活动与练习
Classroom Activities and Exercises

一、语音练习 *Pronunciation*

近朱者赤，近墨者黑。
Jìn zhū zhě chì, jìn mò zhě hēi.

认为	rènwéi	think, believe	我认为这样不对。	大家都不这么认为。
冰	bīng	ice	冰雪　冰雪节	天太冷，水都成了冰。
挣	zhèng	earn	挣钱	他每个月挣的钱不够自己花。
想法	xiǎngfǎ	idea, opinion	这个想法不错。	有什么想法就说。
做法	zuòfǎ	way of doing sth.	这种做法很好。	这个做法有问题。

二、大声读一读 *Read aloud*

词语 Words	例子 Examples	请你给出更多例子 More examples
请教	有问题多请教。 向您请教一个问题。 我想请教您一件事。	
多（么）	买吧，多漂亮的衣服呀！ 能做这个工作多么不容易呀！	
成	几年不见，都成大人了。 这次比赛让他们俩成了朋友。	
耽误	耽误时间　耽误事儿 快点儿走，别耽误了看电影。	
强	他的汉语比我强。 我认为，他比我强多了。	

三、替换词语说句子 *Substitution drills*

1. A：我有个问题想向您请教。
   B：您说吧。
   A：调查结果是什么，您能告诉我吗？
   B：没问题。

有个问题想问一问	您能说一说
想和您商量商量	我能写在文章里
想了解一下	您能清楚地告诉我们

2. A：为什么对你们来说，电视这么重要？
   B：我没觉得电视有多么重要啊。
   A：我作过调查，80%以上的人每天晚上都看电视。

钱	你的感觉肯定不对	都想找挣钱多的工作
房子	我不同意你说的	都想赶快买房子
汽车	我不这样认为	都想买汽车

3. A：为什么春节中国人都要看春节晚会？
   B：哦，是这样的，春节看晚会差不多成中国人过春节的传统了。

春节一家人在一起，吃吃饭，聊聊天儿，一起看看电视，就是为了高兴
春节晚会上一般都是一些比较有名的演员，节目水平也比较高，大家爱看
春节全家人在一起，一边包饺子，一边看电视，挺有意思的

4. A：你不看电视剧吗？
   B：不看，我觉得太耽误时间，而且也没什么意思。

去看京剧	不好看	也听不懂
看足球	今晚的两支球队都不好	我也不太喜欢足球
去看画展	快考试了，该多花点儿时间复习	我也不太懂画儿

5. A：明天有一场特别棒的足球比赛。

 B：那我一定要看。

电视里有好节目	咱们	别忘了看
有大风	你	要多穿点儿衣服
特别冷，而且有雪	大家	要注意，别感冒

6. A：为了宣传环保，我报名成了志愿者。

 B：我认为你的选择是对的。

推销产品	要和很多客户打交道	工作很有意思
看球赛	约了朋友去酒吧	想法很特别
了解中国文化	交了很多中国朋友	做法特别聪明

四、练一练：完成对话 *Complete the following dialogues*

1. A：你现在有时间吗？我想向你 ______________ 。

 B：什么问题？ ______________ 。

 A：为什么中国人这么 ______________ ？

 B：是吗？我 ______________ 。

 [觉得　爱　请教　说吧]

2. A：我觉得电视在中国人的生活中，差不多是最重要的。

 B：为什么 ______________ ？

 A： ______________ 吧，你每天晚上看电视吗？

B：看啊。

A：你们家 ____________ 呢？

B：都看啊。

A：我问了很多家，都和 ____________，电视在中国人的生活中还不重要吗？

[差不多　咱们　别人　这么]

3. A：我最近 ____________ 调查。

B：____________？

A：每年春节晚上，你看不看 ____________？

B：____________？

A：85%以上的人都看春节联欢晚会。

[调查　作　结果　春节联欢晚会]

4. A：春节看晚会可以说是近几十年 ____________，85%以上的人春节都看春节联欢晚会。

B：啊，十几亿人同时看 ____________，太奇怪了。

A：是这样的，春节一家人在一起，吃吃饭，聊聊天儿，一起看看电视，高兴啊。而且春节晚会上，都是比较有名的演员，节目水平也比较高，大家 ____________ 了。

B：哦，这我 ____________ 了。

[传统　理解　爱看　一个]

5. A：你看电视都 ____________？

B：我喜欢看新闻、体育比赛什么的，也 ____________。

A：你看电视剧吗？

B：一般不看，天天看电视剧太 ____________。

A：而且也没什么意思。

[可以　节目　耽误]

6. A：你喜欢看体育节目吗？

B：喜欢呀，__________。

A：哎，今天晚上有一__________比赛，是世界上__________球队。

B：那我可得看，你看吗？

A：当然看了，我已经__________了，大家一起看，你也来吧。

[最强　约好　特别是　场]

7. A：你们去哪儿看球呀？不在家里看吗？

B：我们约好去酒吧看。

A：__________吗？

B：不，为了看球。

A：那__________酒吧呢？

B：那里有大屏幕电视，__________，看球__________很重要。

A：哦，那我也和你们一起去，好好儿体验一下。

[气氛　为什么　为了　还有]

五、小组活动　*Group work*

读后说一说　Read the following notice and talk about it.

通　知

大家好，周三深夜2:00（或者说周四早上2:00）CCTV5有一场足球比赛，参赛的两支球队是现在世界上最棒的两支球队，比赛一定非常非常吸引人，我们想看这场球赛已经好久了。

我们三位同学已经约好，周三晚上去南海酒吧，那里有大屏幕电视，还有很多球迷，一定能看得特别过瘾（guòyǐn, enjoy oneself to the full）。有愿意参加的朋友，周三晚上南海酒吧见。

任务一：大声读一读这个通知。

Task 1: Read the notice aloud.

任务二：说一说你打算去吗，为什么？

Task 2: Talk about whether you want to go and why or why not.

六、复习与表达　*Review and presentation*

1. 双人对话　Pair work: Make dialogues.

A	B
我有个问题想向你请教。	
	我没觉得电视在中国人生活里有多么重要啊。
	你为什么这么说呢？
你每天晚上看什么电视节目啊？	
为什么85%以上的中国人都看春节联欢晚会？	
	因为春节联欢晚会节目水平比较高。
你喜欢看电视连续剧吗？	
	除了谈话节目，我都喜欢看。
我喜欢看体育节目，特别是足球，你呢？	
	我们去酒吧看吧。

2. 课堂展示　Presentation

角色扮演　Role-play

（1）两个人聊天儿，互相了解每天的课后生活。

（2）两个人聊天儿，互相了解喜欢看什么电视节目。

（3）两个人聊天儿，谈他们都看过的一个电视节目。

（4）两个人聊天儿，谈他们上网一般干什么。

参考词语和句式

上网　聊天儿　锻炼　看电视　新闻　电视剧
体育比赛　谈话节目　足球比赛　有名的演员
水平高的节目　耽误时间

挑战自我
Challenge Yourself

一、词语扩展任务 *Vocabulary building task*

仿照例子做扩展练习。

Read aloud and do the exercises following the examples.

练习一

迷	球迷　电影迷　迷上了电影
	（列举更多带"迷"的词语　Try to give more words or phrases with "迷"）

练习二

球队　裁判　赢
（列举更多与比赛相关的词语　Try to give more words or phrases related to competitions or contests）

练习三

以上	80% 以上　十人以上　一个小时以上　1 米以上 80% 以上的人　每天运动一个小时以上
以内	（Try to use “以内” with “百分之 ”，“人”，“分钟”，“小时” and “米”）

二、交际任务 *Communicative task*

小调查：最少调查 10 个中国朋友，问一下他们春节晚上干什么，他们看不看春节联欢晚会，为什么。

Survey: Interview at least 10 of your Chinese friends and ask them what they do on Spring Festival Eve, whether they watch the Spring Festival Gala on TV and why or why not.

朋友	春节晚上干什么	看春节联欢晚会吗	为什么

这些话，我能脱口而出

22 您的行李超重了

Your luggage is overweight

跟我读，学生词（一） 106

New Words I

1.	家具	jiājù	*n.*	furniture
2.	电器	diànqì	*n.*	electrical appliance
3.	冰箱	bīngxiāng	*n.*	refrigerator
4.	转让	zhuǎnràng	*v.*	transfer the ownership of, make over
5.	行李	xíngli	*n.*	luggage, baggage
6.	托运	tuōyùn	*v.*	consign for shipment, check
7.	空运	kōngyùn	*v.*	transport by air
8.	海运	hǎiyùn	*v.*	transport by sea
9.	用品	yòngpǐn	*n.*	articles for use

课　文（一） 107

Text I

（培训班就要结束了，友美来看铃木）

铃木：培训就要结束了，我的这些家具啊、电器啊，都怎么办呢？

友美：这些东西你打算带回国吗？

铃木：当然不带。

友美：那家具、冰箱什么的可以卖了。

铃木：怎么卖啊？

友美：在网上发一个转让的广告就行了，每年这个时候，都有不少这样的广告。别的学生也会上网找自己需要的东西。

铃木：好的，你提醒我，今天晚上就发。我的那些书和衣服怎么办？

友美：你想把书和衣服带回国，是吗？

铃木：是啊，可是太多了，我的行李肯定装不下。

友美：你可以托运回国，着急的话就空运，不着急就海运。

铃木：好的。还有好多生活用品呢？我不想带走，可是扔了太可惜。

友美：你可以送给朋友或者还在这儿学习的学生。

铃木：好吧，听你的，我试试。

边学边练 *Practice to learn*

1. 家具啊、电器啊，怎么办？ ____________________
2. 想带回国的东西，如果行李装不下应该怎么办？

   ____
3. 生活用品可以怎么办？ ____________________

跟我读，学生词（二） 108

New Words II

1.	机票	jīpiào	*n.*	plane ticket
2.	靠	kào	*v.*	get near, be near, be next to
3.	过道	guòdào	*n.*	aisle, corridor
4.	传送带	chuánsòngdài	*n.*	conveyor belt
5.	超重	chāozhòng	*v.*	be overweight
6.	规定	guīdìng	*v./n.*	stipulate; rule
7.	旅客	lǚkè	*n.*	passenger, traveler
8.	公斤	gōngjīn	*m.*	kilogram
9.	随身	suíshēn	*adj.*	(take sth.) with oneself
10.	超过	chāoguò	*v.*	exceed, surpass
11.	整理	zhěnglǐ	*v.*	put in order, arrange
12.	登机牌	dēngjīpái	*n.*	boarding pass
	登机	dēngjī	*v.*	board a plane

13. 登机口 dēngjīkǒu *n.* boarding gate

课文（二） 109

Text II

（铃木在机场交运行李）

机场服务员：您好！请把您的护照和机票给我。

铃　　木：都在这里。还有靠过道的座位吗？

机场服务员：没有了，靠窗的行吗？

铃　　木：好的。

机场服务员：您有行李要托运吗？

铃　　木：有，一件。

机场服务员：请您把行李放到传送带上。

（放行李）

机场服务员：对不起，您的行李超重了。我们规定每位旅客只能托运20公斤。

铃　　木：那我拿出一些东西，放随身行李里面吧。

机场服务员：随身的行李也有规定，不超过规定就可以。

铃　　木：好，我整理一下，马上就好。

机场服务员：您别着急。

（整理行李）

铃　　木：现在可以了吗？

机场服务员：好，都没问题了。这是您的登机牌，请您在15号登机口登机。

铃　　木：谢谢。

边学边练 *Practice to learn*

1. 铃木想要哪里的座位？ ______
2. 每位旅客可以托运多少行李？ ______
3. 超重的行李随身带可以吗？ ______

功能句
Functional Sentences

【建议】 To give a suggestion

1. 家具、冰箱什么的可以卖了。
2. 你最好把家具、冰箱什么的卖了。
3. 你能不能把家具、冰箱什么的卖了？
4. 你可以送给朋友或者还在这儿学习的学生。

【解释、说明】 To explain or expound something

1. 我们规定每位旅客只能托运 20 公斤。
2. 随身的行李也有规定，不超过规定就可以。

【请对方做某事】 To ask someone to do something

1. 请把您的护照和机票给我。
2. 请您把行李放到传送带上。
3. 这是您的登机牌，请您在 15 号登机口登机。

课堂活动与练习
Classroom Activities and Exercises

一、语音练习 *Pronunciation*

三思而后行。
Sānsī ér hòu xíng.

重	zhòng	heavy	书很重。	这个箱子也很重。
劳驾	láojià	excuse me	劳驾，帮帮忙。	劳驾，把报纸给我看看。
刀	dāo	knife	菜刀　　水果刀	这把刀很好用。
符合	fúhé	accord with	符合要求	不符合规定

二、大声读一读 *Read aloud*

词语 Words	例子 Examples	请你给出更多例子 More examples
用品	体育用品　学习用品	
靠	靠边儿　靠墙站着 他把椅子靠窗放好。	
规定	规定的时间　没有新的规定	
随身	随身的行李　随身用品 重要的东西都随身带。	
超过	超过规定的时间　超过 6 岁 超过 50 公斤	

三、替换词语说句子 *Substitution drills*

1. A：我的书怎么办呀？扔了太可惜。

   B：你可以托运回国呀。

衣服	最好托运回国
自行车	可以卖了它
家具	可以送给朋友呀

2. A：哎，你提醒我，今晚在网上发一个转让家具的广告。

   B：行，没问题。

请老师给我写一封推荐信
明天去报名，当志愿者
明晚跟球迷们一起看球，体验一下现场看球的气氛

3. A：请把您的护照和机票给我。

   B：这儿呢。

您把行李放到传送带上	太重了，劳驾帮帮忙
您在15号登机口登机	谢谢
把您的书包打开	对了，里面有一把水果刀

4. A：还有靠过道的座位吗？
   B：没有了，靠窗的行吗？
   A：也行吧。

不靠马路的房间	靠南边
靠后点儿的座位	中间
靠门口的座位	靠边儿

5. A：托运行李有什么规定吗？
   B：我们规定每位旅客只能托运20公斤。

上飞机随身行李	随身的箱子不能太大
从邮局寄东西到国外	寄药的话，一定要有发票
出国带现金	最多可以带两万元人民币

6. A：我听说随身的行李也有规定。
   B：对，符合规定就可以。

参加比赛对选手的汉语水平
坐火车带行李
出国随身带多少现金

四、练一练：完成对话　*Complete the following dialogues*

1. A：学习就要结束了，我的家具、____________，不____________，怎么办啊？
   B：你可以卖了呀。
   A：有人买吗？
   B：当然有了，每年____________，或者还在这儿学习的同学，想买 ____________________。

[什么的　旧电器　打算　新同学]

2. A：别人怎么知道我这儿有旧家具、旧电器 ____________________ 啊？是写通知吗？贴在哪儿啊？

B：你 ____________________ 就行了，每年这个时候，都有不少这样的广告。

A：需要的同学会上网去找吗？

B：肯定会。

A：那你晚上 ____________________，赶快发。

[提醒　广告　转让]

3. A：我的书太多了，还有一些衣服，怎么办啊？

B：行李 ____________________ 了吗？

A：____________________，我肯定得把它们都带回去。

B：那 ____________________，着急的话就空运，不着急就海运。

A：空运 ____________________？

[托运　是啊　装　贵]

4. A：你看，____________________ 用品，我不想带走，____________________ 可惜。

B：你可以送给朋友，或者 ____________________ 学习的同学。

A：都不是新的，他们不会生气吧？

B：当然不会，____________________，扔了多可惜呀。

[干干净净的　又　继续　这么多]

5. A：您有 ____________________ 吗？

B：有两件。

A：请 ____________________ 行李 ____________________。

B：超重吗？

A：确实 ________________。

[放到　是　把　托运]

6. A：您的行李超重了。________________每位旅客只能托运20公斤。

B：那我 ________________，放在 ________________里面吧。

A：随身行李也有规定，不超过规定就可以。

B：好，我 ________________，马上就好。

[整理　拿出　随身　规定]

7. A：您好，请 ________________。

B：在这儿。还有 ________________的座位吗？

A：靠过道的没有了，靠窗的行吗？

B：________________吧。

A：这是您的登机牌，请在15号 ________________。

[靠过道　登机　把　那就]

五、小组活动　*Group work*

填表说一说　Fill in the form and talk about it.

你的东西	带回国	不带回国	怎么办

任务一：根据你的情况填表。

Task 1: Fill in the form according to your own case.

任务二：说一说你的打算。

Task 2: Talk about your plan.

六、复习与表达 *Review and presentation*

1. 双人对话 Pair work: Make dialogues.

A	B
马上就要回国了，我的这些家具、电器什么的怎么办啊？	
	我不打算带回国了。
在网上发一个转让广告行吗？	
	你可以托运回国。
托运快吗？	
我还有好多生活用品呢，带不走，扔了又可惜。	
	没有靠过道的座位了，靠窗的行吗？
	托运的行李只有一件。
对不起，您的行李超重了。	
随身的行李重量有规定吗？	
	您别着急。

2. 课堂展示 Presentation

角色扮演 Role-play

（1）A 和 B 就要回国了，家具、电器什么的，不打算带回国。两个人商量这些东西怎么办。

（2）A 和 B 就要回国了，他们的书啊、衣服啊随身带不走，在商量空运还是海运。

（3）A 给 B 打电话，他就要回国了，有一些生活用品，B 需要的话就送给 B。

（4）在机场，A 的行李超重了，他想放在随身行李中，可是随身行李也超重。

参考词语和句式

不带回国　怎么办　可以卖　网上　转让　广告
装不下　托运　空运　海运　快　慢　贵　便宜
生活用品　虽然旧　可以用　可惜　送给　行李
传送带　规定　随身　交钱　太贵了　扔了

挑战自我
Challenge Yourself

一、词语扩展任务　*Vocabulary building task*

仿照例子做扩展练习。

Read aloud and do the exercises following the examples.

练习一

桌子　椅子　衣柜
（列举更多家具的名称　Try to give more names of different furniture）

电视　电脑　洗衣机
（列举更多电器的名称　Try to give more names of electrical appliances）

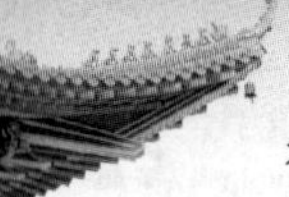

笔　铅笔盒　橡皮
（列举更多学习用品的名称　Try to give more names of different stationery）

练习二

整理	整理房间　整理衣服		
	整理了　没整理	已经整理过了	已经整理好了
	房间整理过了	整理一下你的衣柜	帮他整理房间
	每天整理一次	一天整理好几次	好好儿整理整理
	整理了吗	整理没整理	
收拾	（Try to use “收拾” with “了”, “没”, “过”, “一下”, “一次”, “几次”, “完”, “好” and “好好儿” or to use its reduplicate form）		

二、交际任务 *Communicative task*

小调查：问一问你的朋友——

1. 他带到中国来的东西中，什么是最有用的，什么是最没用的？

2. 他在中国买的东西中，什么是他最得意的？为什么？

Survey: Ask your friends two questions: 1. What's the most useful thing that he brought to China and what's the most useless one? 2. What's his favorite thing that he bought in China? And why?

朋友	带来的东西		在中国买的东西
	最有用的	最没用的	最得意的（为什么）

这些话，我能脱口而出

我们一定和您保持联系

We certainly will keep in touch with you

跟我读，学生词（一） 111

New Words I

1.	遇到	yùdào		meet, run into, come across
2.	愉快	yúkuài	*adj.*	joyful, happy
3.	深刻	shēnkè	*adj.*	deep, profound
4.	印象	yìnxiàng	*n.*	impression
5.	感谢	gǎnxiè	*v.*	thank, be grateful
6.	另外	lìngwài	*conj.*	in addition, moreover
7.	周围	zhōuwéi	*n.*	surrounding
8.	接触	jiēchù	*v.*	come into contact with, get in touch with
9.	自学	zìxué	*v.*	study on one's own, teach oneself
10.	方法	fāngfǎ	*n.*	method, way, means
11.	随时	suíshí	*adv.*	at any time, whenever
12.	困难	kùnnan	*n.*	difficulty
13.	尽力	jìnlì	*v.*	try one's best
14.	保持	bǎochí	*v.*	keep, maintain

课文（一） 112

Text I

（这学期的最后一节课）

老师：这个学期马上就要结束了，遇到你们，我很幸运，和你们在一起的每一天我都很愉快，你们给我留下了深刻的印象，谢谢你们。

汉娜：老师，我们也非常感谢您。

老师：大家还有什么问题吗？

友美：我马上就要回国了，我特别担心回去以后，听汉语、说汉语的机会少，慢慢地，汉语就忘了。老师，您有什么好办法吗？

老师：你可以买一些你喜欢的电影光盘，当然一定是中文的，这样回去以后可以经常听听看看。

友美：好，我一定去买。

老师：另外，多和周围说汉语的人接触，多看一些汉语书，有可能的话，可以看一些中文报纸。

友美：您说的这些都是自学的好方法，我一定试一试。

汉娜：老师，我马上就要到公司上班了，如果我遇到问题，还可以来找您吗？

老师：当然可以，随时欢迎，有问题、有困难，我一定尽力帮忙。

汉娜：谢谢您。

老师：大家还记得我的电话和邮件地址吧？可以随时打电话、发邮件给我。

友美：好的，我们一定和您保持联系。

边学边练 *Practice to learn*

1. 友美的问题是什么？ ____________________
2. 老师是怎么回答友美的？ ____________________
3. 汉娜的问题是什么？ ____________________
4. 老师怎么回答汉娜的？ ____________________

跟我读，学生词（二） 113

New Words II

1.	告别	gàobié	*v.*	say goodbye to, part from
2.	表达	biǎodá	*v.*	express (one's ideas or feelings)
3.	愿望	yuànwàng	*n.*	wish, hope
4.	到处	dàochù	*adv.*	at all places, everywhere
5.	招待	zhāodài	*v.*	receive (guests), offer hospitality, entertain
6.	名单	míngdān	*n.*	name list

7.	争取	zhēngqǔ	*v.*	strive for, make every effort to achieve
8.	看望	kànwàng	*v.*	call on, pay a visit to
9.	分开	fēnkāi	*v.*	separate, part

课文（二） 114

Text II

（大家在互相告别）

汉娜：就要告别了，我们每个人都说一句最想和大家说的话吧，表达一下自己的愿望。谁先来？

杰森：我先来。希望谁都别忘了我们大家。

马丁：希望大家都能找到满意的工作。

友美：希望下次见面的时候，我们的汉语比现在更好。

杰森：我们国家非常美，好玩儿的地方特别多，到处都很漂亮，欢迎大家去玩儿。谁去的话，一定先跟我联系，我好好儿招待大家。

汉娜：我们一定去。

友美：以后我们不能天天见面了，但是可以在网上聊天儿。别忘了在你的好友名单里，加上我们每个人的名字。

大中：我们争取明年再回来看望老师，再回到我们的校园。

杰森：这个建议好，我同意。

友美：真不愿意分开啊。

大中：没关系，我们网上见。

边学边练 *Practice to learn*

1. 杰森的愿望是什么？ ______
2. 马丁的愿望是什么？ ______
3. 友美的愿望是什么？ ______
4. 大中的愿望是什么？ ______

功能句
Functional Sentences

【感谢】 To express gratefulness

1. 遇到你们，我很幸运，谢谢你们。
2. 非常感谢。
3. 实在太感谢了！

【接受】 To accept an idea

1. A：你可以买一些你喜欢的电影光盘，这样回去以后可以经常听听看看。
   B：好，我一定去买。
2. A：多和周围说汉语的人接触，多看一些汉语书，有可能的话，可以看一些中文报纸。
   B：您说的这些都是自学的好方法，我一定试一试。
3. A：大家还记得我的电话和邮件地址吧？可以随时打电话、发邮件给我。
   B：好的，我们一定和您保持联系。
4. A：谁去的话，一定先跟我联系，我好好儿招待大家。
   B：我们一定去。

【描述】 To make a description

1. 我们国家非常美，好玩儿的地方特别多，到处都很漂亮。
2. 到处都是人。

课堂活动与练习
Classroom Activities and Exercises

一、语音练习 *Pronunciation*

海内存知己，天涯若比邻。

Hǎinèi cún zhījǐ, tiānyá ruò bǐlín.

实在 shízài really, indeed 实在太好了。 实在没办法。

脏 zāng dirty	又脏又乱	这里很干净，一点儿也不脏。
提高 tígāo improve	汉语水平提高了	提高生活水平
客人 kèrén guest	招待客人	你是我们最欢迎的客人。

二、大声读一读 *Read aloud*

词语 Words	例子 Examples	请你给出更多例子 More examples
愉快	心情愉快　生活愉快 祝你节日愉快！	
感谢	感谢大家　非常感谢 感谢您给我的帮助。	
尽力	一定尽力　我会尽力的。 我们已经尽力了。	
到处	到处走走看看　到处都是花儿。 到处都很脏。	
看望	看望老师　看望朋友 看望我生活了四年的校园	
分开	分得开　分不开 我们从小一起长大，不愿意分开。	

三、替换词语说句子 *Substitution drills*

1. A：遇到你们，我很幸运，谢谢你们。

   B：我们也一样，和你在一起的每一天我们都很愉快。

和你们在一起	真的很	非常感谢
幸亏遇到了你们	太……了	感谢你们
和你们成了朋友	很	实在太感谢了

2. A：多和说汉语的人接触，多看汉语书，能提高汉语水平。

   B：我一定试试。

买点儿电影光盘	看中国电影	提高听力水平	去买
给我们发邮件	和我们通电话	让你愉快	和你们保持联系
出去走一走	和中国人接触	更快地了解中国	努力

3. A：我们国家非常美，好玩儿的地方特别多，到处都很漂亮。

B：我真想去看看。

这个城市很大	人	都是人
学校很美	树	都是绿色的
的京剧很特别	喜欢京剧的人	都能买到光盘

4. A：明天你能来吗？

B：对不起，我得招待朋友。

参加记者招待会
招待客人
在家招待一位老同学

5. A：你有什么打算？

B：我争取圣诞节回国看望父母。

用一年的时间学好汉语
在中国找一份工作
先学好汉语，然后就学习京剧

6. A：真不愿意分开啊。

B：没办法呀，只能网上见了。

离开学校	还是得走
麻烦别人	还是得请别人帮忙
住这么脏的房间	还好，只住一夜

四、练一练：完成对话 *Complete the following dialogues*

1. A：一个学期这么快就结束了，真 ______________________。

B：在我们班，真的很幸运，______________________。

A：好多同学给我留下的印象可 ______________________ 了。

B：看来，＿＿＿＿＿＿＿＿见面了。

［只能　愉快　深　分开］

2. A：马上就要回国了，我特别担心回去以后，＿＿＿＿＿＿＿＿了。

B：＿＿＿＿＿＿＿＿，听汉语、说汉语的机会少，肯定会忘，也不知道有没有好办法？

C：我觉得＿＿＿＿＿＿＿＿，回去以后经常听听看看。

A：这可能是个好办法，明天＿＿＿＿＿＿＿＿。

B：我也要去。

［可以　忘　去买　是啊］

3. A：马上就要回国了，＿＿＿＿＿＿＿＿知道一些＿＿＿＿＿＿＿＿好方法。

B：我可以告诉你，多和＿＿＿＿＿＿＿＿接触，多看一些汉语书。

A：是不是还可以多看一些中文报纸？

B：对呀，＿＿＿＿＿＿＿＿，肯定行。

［周围　试试　真希望　自学］

4. A：老师，我马上就要到公司上班了，如果＿＿＿＿＿＿＿＿，还可以来找您吗？

B：当然可以，有问题、＿＿＿＿＿＿＿＿，我一定＿＿＿＿＿＿＿＿。

A：那您再告诉我一下您的电话和邮件地址吧。

B：好的，你可以＿＿＿＿＿＿＿＿、发邮件。

A：老师，咱们＿＿＿＿＿＿＿＿。

［随时　困难　尽力　保持　遇到］

5. A：我们国家＿＿＿＿＿＿＿＿，好玩儿的地方特别多，文化＿＿＿＿＿＿＿＿，欢迎你去旅游。

B：那我一定要去。

A：你去的话，先跟我联系，________________你。

B：不用招待，你给我当导游________________。

A：那是一定的。 ［行　招待　极了　吸引人］

6. A：毕业以后，大家就不能天天见面了。

B：________________，再________________了。

A：________________，我们可以在网上聊天儿。

B：这是个好办法，我回去马上在好友名单里________________名字。

A：对呀。 ［也不是　不容易　加　是啊］

7. A：真不愿意分开啊。

B：我们________________回学校________________吧，看望老师，看望咱们的校园。

A：这个建议不错，可是在中国工作的还可以，________________了。

B：________________吧。 ［尽量　困难　争取　一次］

五、小组活动　*Group work*

读后说一说　Read the following email and talk about it.

发件人　From	杰森
收件人　To	汉娜　马丁　李雪　大中　友美
抄送　Cc	
主题　Subject	欢迎大家来玩儿
附件　Attached file	

大家好！

好久没有联系了，你们都好吗？听说留在中国的汉娜自己开了一家公司，祝你成功啊！听说马丁在上海的一家律师事务所干得很棒，我真为你高兴！

我回来以后一直在旅游公司工作，现在是旅游最好的季节，所以我每天都很忙。

我们国家这时候实在是太美了，到处都很漂亮，名胜古迹也不少，有很吸引人的文化。我照了几张照片，放在附件里了，发给你们看看。

欢迎大家来玩儿啊。谁来的话，请先跟我联系，我一定好好儿招待大家。

你们的朋友　杰森

任务一：大声读一读这封电子邮件。

Task 1: Read the email aloud.

任务二：假设你真的打算去玩儿，说一说你怎么回信。

Task 2: Suppose you are planning to go, what will you write in your reply?

六、复习与表达　*Review and presentation*

1. 双人对话　Pair work: Make dialogues.

A	B
	你给我留下的印象也很深刻。
和你在一起，我每天都很愉快，实在是太感谢了。	
我担心回去以后汉语就忘了。谁有什么好办法？	
	这些都是自学的好方法，我一定试试。
老师，我到公司以后，遇到问题还可以来找您吗？	
	有问题、有困难，随时欢迎你们回来，我一定尽力帮忙。
你最想和大家说的一句话是什么？	

	我们一定去。
别忘了在好友名单里加上我们的名字。	
	这个建议好，我同意。
真不愿意和大家分开啊。	

2. 课堂展示　Presentation

角色扮演　Role-play

（1）两个人合租房间，学期结束了，他们马上就要分开了，A 给过 B 很多帮助，B 很感谢 A。

（2）两个人担心回国以后汉语就忘了，他们讨论有什么好方法可以保持汉语水平。

（3）学生问老师，工作以后遇到问题，是不是还可以请老师帮助。

（4）A 请全班同学去他的国家旅游。

参考词语和句式

结束　幸运　印象　感谢

担心　接触　汉语书　中文报纸　自学的好方法

遇到问题　有困难　随时欢迎　尽力帮忙

非常美　好玩儿的地方　到处　跟我联系　招待

挑战自我
Challenge Yourself

一、词语扩展任务　*Vocabulary building task*

仿照例子做扩展练习。

Read aloud and do the exercises following the examples.

练习一

法	方法　看法　吃法　说法
	（列举更多带"法"的词语　Try to give more words or phrases with "法"）

练习二

祝你愉快！　祝你学习进步！　生日快乐！
（列举更多表示祝愿的话　Try to give more blessings and wishes）

练习三

看望	看望朋友　我去看望他。　我没去看望他们。 看望了　没看望 想去看望一下　想去看望一下老朋友 咱们去看望看望他吧。　他来看望过一次。　他来看望过我们一次。
招待	（Try to use "招待" with "了", "没", "一下", "一次" and "好好儿"）

二、交际任务 *Communicative task*

制作你的毕业纪念册。找你所有的朋友问一问他们的联系方式，并让他们在纪念册上给你留言。

Make your own graduation yearbook. Ask all your friends for their contact information and ask them to write a few words in your yearbook.

这些话，我能脱口而出

生词总表
Vocabulary

	词语	拼音	词性	课
A	啊	a	*part.*	19
	哎	āi	*int.*	3
	哎呀	āiyā	*int.*	14
	安排	ānpái	*v.*	14
	安全	ānquán	*adj.*	8
	按时	ànshí	*adv.*	15
	熬夜	áoyè	*v.*	2
B	白	bái	*adj.*	8
	百	bǎi	*num.*	6
	百分之……	bǎi fēnzhī……		21
	办公	bàngōng	*v.*	15
	办公室	bàngōngshì	*n.*	15
	包	bāo	*v.*	13
	包括	bāokuò	*v.*	17
	包装	bāozhuāng	*n.*	7
	保安	bǎo'ān	*n.*	8
	保持	bǎochí	*v.*	23
	报名	bàomíng	*v.*	20
	报纸	bàozhǐ	*n.*	12
	杯	bēi	*n.*	9
	本	běn	*pron.*	7
	比	bǐ	*prep.*	10
	比较	bǐjiào	*adv.*	6
	比如（说）	bǐrú (shuō)	*v.*	13
	毕业	bìyè	*v.*	5
	标准间	biāozhǔnjiān	*n.*	16
	表达	biǎodá	*v.*	23
	表演	biǎoyǎn	*v.*	8
	别	bié	*adv.*	2
	宾馆	bīnguǎn	*n.*	16
	冰箱	bīngxiāng	*n.*	22
	博物馆	bówùguǎn	*n.*	10
	不过	búguò	*conj.*	2
	不是……而是……	bú shì……ér shì……		14
	不仅	bùjǐn	*conj.*	10
	不如	bùrú	*v.*	11
	不同	bù tóng		18
	部	bù	*suf.*	5
C	菜单	càidān	*n.*	13
	参加	cānjiā	*v.*	1
	产品	chǎnpǐn	*n.*	15
	尝	cháng	*v.*	13
	场	chǎng	*m.*	8
	唱	chàng	*v.*	9
	超过	chāoguò	*v.*	22
	超重	chāozhòng	*v.*	22
	炒	chǎo	*v.*	13
	成	chéng	*v.*	21
	成功	chénggōng	*v.*	19
	成语	chéngyǔ	*n.*	2
	城市	chéngshì	*n.*	12
	吃惊	chījīng	*v.*	13
	迟到	chídào	*v.*	4
	充电器	chōngdiànqì	*n.*	1
	出差	chūchāi	*v.*	15
	出发	chūfā	*v.*	8
	出去	chūqu	*v.*	3
	出租	chūzū	*v.*	6
	出租车	chūzūchē	*n.*	6
	初	chū	*n.*	16
	除了	chúle	*prep.*	14

厨师	chúshī	*n.*	13
穿	chuān	*v.*	6
传送带	chuánsòngdài	*n.*	22
传统	chuántǒng	*n.*	18
传真	chuánzhēn	*n.*	19
船	chuán	*n.*	18
次	cì	*n.*	17
聪明	cōngming	*adj.*	5
从来	cónglái	*adv.*	20
D 打车	dǎchē	*v.*	6
打交道	dǎ jiāodao		15
打折	dǎzhé	*v.*	16
大多	dàduō	*adv.*	12
大概	dàgài	*adv.*	7
大约	dàyuē	*adv.*	10
带	dài	*v.*	1
戴	dài	*v.*	18
担心	dānxīn	*v.*	4
耽误	dānwu	*v.*	21
但（是）	dàn(shì)	*conj.*	8
当	dāng	*v.*	13
导游	dǎoyóu	*n.*	1
倒	dǎo	*v.*	11
到处	dàochù	*adv.*	23
得到	dédào	*v.*	19
的话	dehuà	*part.*	1
得	děi	*aux.*	1
登机	dēngjī	*v.*	22
登机口	dēngjīkǒu	*n.*	22
登机牌	dēngjīpái	*n.*	22
地点	dìdiǎn	*n.*	3
地址	dìzhǐ	*n.*	7
第	dì	*pref.*	4
点（菜）	diǎn (cài)	*v.*	13
电池	diànchí	*n.*	1
电器	diànqì	*n.*	22
电梯	diàntī	*n.*	4
调查	diàochá	*v.*	21
丢	diū	*v.*	20
懂	dǒng	*v.*	2
都	dōu	*adv.*	2
豆腐	dòufu	*n.*	13
读	dú	*v.*	3
堵车	dǔchē	*v.*	10
肚子	dùzi	*n.*	11
锻炼	duànliàn	*v.*	14
对……来说	duì……lái shuō		14
对了	duì le		1
多么	duōme	*adv.*	21
E 而且	érqiě	*conj.*	10
二手	èrshǒu	*adj.*	6
F 发	fā	*v.*	7
发票	fāpiào	*n.*	10
发烧	fāshāo	*v.*	11
发现	fāxiàn	*v.*	4
方法	fāngfǎ	*n.*	23
方面	fāngmiàn	*n.*	19
方式	fāngshì	*n.*	7
房子	fángzi	*n.*	12
放心	fàngxīn	*v.*	5
分开	fēnkāi	*v.*	23
丰富	fēngfù	*adj.*	14
风景	fēngjǐng	*n.*	3
风俗	fēngsú	*n.*	2
服装	fúzhuāng	*n.*	18
幅	fú	*m.*	18
付	fù	*v.*	17
负责	fùzé	*v.*	15

	词语	拼音	词性	课
	复习	fùxí	*v.*	3
G	赶快	gǎnkuài	*adv.*	11
	感觉	gǎnjué	*n.*	21
	感冒	gǎnmào	*v.*	11
	感谢	gǎnxiè	*v.*	23
	刚	gāng	*adv.*	1
	钢琴	gāngqín	*n.*	9
	告别	gàobié	*v.*	23
	告诉	gàosu	*v.*	2
	歌舞	gēwǔ	*n.*	18
	个人	gèrén	*n.*	19
	各	gè	*pron.*	14
	根本	gēnběn	*adv.*	14
	根据	gēnjù	*prep.*	15
	公斤	gōngjīn	*m.*	22
	购物	gòuwù	*v.*	10
	够	gòu	*v.*	14
	故事	gùshi	*n.*	13
	管理	guǎnlǐ	*v.*	4
	管理员	guǎnlǐyuán	*n.*	4
	规定	guīdìng	*v./n.*	22
	国外	guówài	*n.*	8
	过	guò	*v.*	10
	过道	guòdào	*n.*	22
	过来	guòlai	*v.*	4
	过去	guòqu	*v.*	4
H	孩子	háizi	*n.*	9
	海	hǎi	*n.*	18
	海报	hǎibào	*n.*	20
	海运	hǎiyùn	*v.*	22
	好	hǎo	*adv.*	1
	好	hǎo	*v.*	15
	好处	hǎochu	*n.*	4
	好好儿	hǎohāor	*adv.*	1
	好久	hǎojiǔ	*adj.*	1
	好像	hǎoxiàng	*adv.*	5
	合适	héshì	*adj.*	3
	河边	hébiān	*n.*	10
	黑	hēi	*adj.*	8
	嘿	hēi	*int.*	1
	红绿灯	hónglǜdēng	*n.*	10
	后来	hòulái	*n.*	1
	厚	hòu	*adj.*	6
	花	huā	*n.*	4
	化妆	huàzhuāng	*v.*	8
	环境	huánjìng	*n.*	12
	恢复	huīfù	*v.*	11
	回答	huídá	*v.*	15
	会议	huìyì	*n.*	15
	会议室	huìyìshì	*n.*	15
	活动	huódòng	*n.*	14
	或者	huòzhě	*conj.*	5
J	机票	jīpiào	*n.*	22
	鸡	jī	*n.*	12
	鸡蛋	jīdàn	*n.*	12
	集合	jíhé	*v.*	2
	几	jǐ	*num.*	4
	记	jì	*v.*	2
	记得	jìde	*v.*	5
	记者	jìzhě	*n.*	5
	记住	jìzhù		2
	继续	jìxù	*v.*	19
	寄	jì	*v.*	7
	加	jiā	*v.*	3
	家具	jiājù	*n.*	22
	价格	jiàgé	*n.*	7
	捡	jiǎn	*v.*	20
	检查	jiǎnchá	*v.*	11

简单	jiǎndān	*adj.*	13
简历	jiǎnlì	*n.*	19
见面	jiànmiàn	*v.*	1
建议	jiànyì	*v.*	2
健康	jiànkāng	*adj.*	12
健身	jiànshēn	*v.*	14
健身房	jiànshēnfáng	*n.*	14
讲	jiǎng	*v.*	8
讲座	jiǎngzuò	*n.*	8
交通	jiāotōng	*n.*	17
郊外	jiāowài	*n.*	3
叫	jiào	*v.*	2
教授	jiàoshòu	*n.*	8
教育	jiàoyù	*n.*	19
接	jiē	*v.*	16
接	jiē	*v.*	19
接触	jiēchù	*v.*	23
接送	jiē sòng		16
接着	jiēzhe	*v.*	19
节约	jiéyuē	*v.*	20
结果	jiéguǒ	*n.*	21
结账	jiézhàng	*v.*	16
介绍	jièshào	*v.*	5
尽快	jǐnkuài	*adv.*	15
紧张	jǐnzhāng	*adj.*	3
尽力	jìnlì	*v.*	23
进去	jìnqu	*v.*	4
京剧	jīngjù	*n.*	8
经常	jīngcháng	*adv.*	4
经理	jīnglǐ	*n.*	15
经历	jīnglì	*n.*	19
经验	jīngyàn	*n.*	19
精彩	jīngcǎi	*adj.*	8
景点	jǐngdiǎn	*n.*	17
景色	jǐngsè	*n.*	18
酒	jiǔ	*n.*	4
酒店	jiǔdiàn	*n.*	16
旧	jiù	*adj.*	6
具体	jùtǐ	*adj.*	15
据说	jùshuō	*v.*	18
距离	jùlí	*n.*	7
K 卡	kǎ	*n.*	16
开玩笑	kāi wánxiào		13
开学	kāixué	*v.*	3
开演	kāiyǎn	*v.*	20
看来	kànlái	*v.*	14
看望	kànwàng	*v.*	23
靠	kào	*v.*	22
可惜	kěxī	*adj.*	8
客户	kèhù	*n.*	15
肯定	kěndìng	*adv.*	7
空气	kōngqì	*n.*	3
空运	kōngyùn	*v.*	22
空（儿）	kòng(r)	*n.*	4
困	kùn	*adj.*	9
困难	kùnnan	*n.*	23
L 垃圾	lājī	*n.*	20
垃圾箱	lājīxiāng	*n.*	20
来	lái	*v.*	13
来得及	láidejí	*v.*	20
老人	lǎorén	*n.*	12
礼貌	lǐmào	*adj.*	9
历史	lìshǐ	*n.*	13
厉害	lìhai	*adj.*	11
联欢	liánhuān	*v.*	21
联系	liánxì	*v.*	1
脸	liǎn	*n.*	8
脸谱	liǎnpǔ	*n.*	8

	脸色	liǎnsè	n.	9
	辆	liàng	m.	6
	了	liǎo	v.	9
	邻居	línjū	n.	9
	零食	língshí	n.	4
	另	lìng	pron.	15
	另外	lìngwài	conj.	23
	留	liú	v.	14
	楼上	lóushang		9
	楼下	lóuxia		9
	路口	lùkǒu	n.	10
	路上	lùshang		7
	旅客	lǚkè	n.	22
	旅行社	lǚxíngshè	n.	17
	律师	lǜshī	n.	19
	绿	lǜ	adj.	8
M	麻烦	máfan	adj.	10
	马路	mǎlù	n.	10
	满意	mǎnyì	v.	16
	没错	méi cuò		6
	没有	méiyǒu	v.	10
	美	měi	adj.	18
	美女	měinǚ	n.	5
	门口	ménkǒu	n.	3
	门票	ménpiào	n.	17
	迷	mí	v.	21
	米饭	mǐfàn	n.	13
	秘书	mìshū	n.	15
	免费	miǎnfèi	v.	16
	民族	mínzú	n.	18
	名单	míngdān	n.	23
	明白	míngbai	v.	8
N	哪儿	nǎr	pron.	1
	南方	nánfāng	n.	18
	闹钟	nàozhōng	n.	14
	年轻	niánqīng	adj.	12
	年轻人	niánqīng rén		12
	农村	nóngcūn	n.	12
	努力	nǔlì	adj.	3
	暖和	nuǎnhuo	adj.	3
O	噢	ō	int.	5
	偶尔	ǒu'ěr	adv.	2
P	爬	pá	v.	3
	怕	pà	v.	2
	拍	pāi	v.	18
	派	pài	v.	5
	陪	péi	v.	1
	培训	péixùn	v.	1
	屏幕	píngmù	n.	21
	瓶子	píngzi	n.	7
Q	其实	qíshí	adv.	4
	其他	qítā	pron.	14
	奇怪	qíguài	adj.	6
	起来	qǐlai	v.	13
	气氛	qìfēn	n.	21
	千万	qiānwàn	adv.	20
	浅	qiǎn	adj.	6
	强	qiáng	adj.	21
	请	qǐng	v.	4
	请假	qǐngjià	v.	11
	请教	qǐngjiào	v.	21
	球队	qiúduì	n.	21
	球迷	qiúmí	n.	21
	区别	qūbié	n.	12
	取	qǔ	v.	7
	劝	quàn	v.	20
	确实	quèshí	adv.	14
R	然后	ránhòu	conj.	10

让	ràng	*v.*	1
热	rè	*adj.*	3
人家	rénjia	*pron.*	20
人们	rénmen	*n.*	20
人山人海	rén shān rén hǎi	*idm.*	18
扔	rēng	*v.*	20
如果	rúguǒ	*conj.*	3
入乡随俗	rù xiāng suí sú	*idm.*	2
软卧	ruǎnwò	*n.*	17

S

山	shān	*n.*	3
山水	shānshuǐ	*n.*	18
商品	shāngpǐn	*n.*	6
上	shàng	*v.*	3
上铺	shàngpù	*n.*	17
上去	shàngqu	*v.*	4
上学	shàngxué	*v.*	6
少数	shǎoshù	*n.*	18
少数民族	shǎoshù mínzú		18
社区	shèqu	*n.*	11
摄影	shèyǐng	*v.*	18
谁	shéi(shuí)	*pron.*	4
申请	shēnqǐng	*v.*	1
身体	shēntǐ	*n.*	4
深	shēn	*adj.*	6
深刻	shēnkè	*adj.*	23
什么	shénme	*pron.*	1
生活	shēnghuó	*v.*	1
师傅	shīfu	*n.*	10
十字路口	shízì lùkǒu		10
实习	shíxí	*v.*	15
食品	shípǐn	*n.*	12
食堂	shítáng	*n.*	13
世界	shìjiè	*n.*	18
市	shì	*n.*	7
市场	shìchǎng	*n.*	6
事	shì	*n.*	1
事情	shìqing	*n.*	14
事务所	shìwùsuǒ	*n.*	19
适合	shìhé	*v.*	6
适应	shìyìng	*v.*	14
室	shì	*n.*	15
收	shōu	*v.*	7
收费	shōufèi	*v.*	16
手工	shǒugōng	*n.*	18
受伤	shòushāng	*v.*	11
售票处	shòupiàochù	*n.*	20
蔬菜	shūcài	*n.*	12
熟悉	shúxī	*v.*	1
刷卡	shuākǎ	*v.*	17
摔	shuāi	*v.*	7
帅	shuài	*adj.*	5
双	shuāng	*adj.*	17
双卧	shuāngwò		17
水平	shuǐpíng	*n.*	21
睡懒觉	shuì lǎnjiào		9
死（了）	sǐ (le)	*adj.*	14
送	sòng	*v.*	16
算	suàn	*v.*	14
虽然	suīrán	*conj.*	8
随便	suíbiàn	*v.*	13
随身	suíshēn	*adj.*	22
随时	suíshí	*adv.*	23
碎	suì	*v.*	7
锁	suǒ	*v.*	20

T

谈话	tánhuà	*v.*	21
弹	tán	*v.*	9
讨厌	tǎoyàn	*v.*	6
特点	tèdiǎn	*n.*	8

提	tí	v.	9
提供	tígōng	v.	16
体验	tǐyàn	v.	21
天哪	tiān na		9
条件	tiáojiàn	n.	12
跳	tiào	v.	9
停	tíng	v.	5
挺	tǐng	adv.	2
通知	tōngzhī	v.	2
同时	tóngshí	n.	21
同意	tóngyì	v.	9
头饰	tóushì	n.	18
头疼	tóuténg	adj.	16
突然	tūrán	adj.	15
图	tú	n.	13
推荐	tuījiàn	v.	19
推销	tuīxiāo	v.	19
腿	tuǐ	n.	11
托运	tuōyùn	v.	22
W 外地	wàidì	n.	7
外卖	wàimài	n.	19
外衣	wàiyī	n.	6
外语	wàiyǔ	n.	10
完全	wánquán	adv.	12
网络	wǎngluò	n.	15
网上	wǎngshang		6
往返	wǎngfǎn	v.	17
位	wèi	m.	5
喂	wèi	int.	11
问题	wèntí	n.	2
卧铺	wòpù	n.	17
污染	wūrǎn	v.	12
五星级	wǔ xīngjí		16
X 西红柿	xīhóngshì	n.	13
吸引	xīyǐn	v.	2
习惯	xíguàn	v.	1
洗澡	xǐzǎo	v.	14
下来	xiàlai	v.	4
下铺	xiàpù	n.	17
现金	xiànjīn	n.	16
羡慕	xiànmù	v.	12
想	xiǎng	v.	4
想象	xiǎngxiàng	v.	21
向	xiàng	prep.	15
像	xiàng	v.	4
销售	xiāoshòu	v.	19
小姐	xiǎojie	n.	15
小心	xiǎoxīn	adj.	7
校园	xiàoyuán	n.	20
辛苦	xīnkǔ	adj.	4
新鲜	xīnxiān	adj.	3
信息	xìnxī	n.	19
信用卡	xìnyòngkǎ	n.	16
行李	xíngli	n.	22
幸亏	xìngkuī	adv.	20
幸运	xìngyùn	adj.	20
宣传	xuānchuán	v.	5
宣传部	xuānchuánbù	n.	5
选修	xuǎnxiū	v.	11
选择	xuǎnzé	v.	15
学院	xuéyuàn	n.	10
Y 严重	yánzhòng	adj.	11
颜色	yánsè	n.	6
演出	yǎnchū	v.	14
演员	yǎnyuán	n.	8
养	yǎng	v.	12
药	yào	n.	11
药店	yàodiàn	n.	11

要不然	yàobùrán	*conj.*	20
钥匙	yàoshi	*n.*	20
野餐	yěcān	*v.*	3
夜里	yèlǐ	*n.*	9
一	yī	*num.*	9
一会儿……一会儿……	yíhuìr……yíhuìr……	*adv.*	6
（一）点儿	(yì)diǎnr		2
一直	yìzhí	*adv.*	6
以内	yǐnèi	*n.*	7
以上	yǐshàng	*n.*	21
以为	yǐwéi	*v.*	13
亿	yì	*num.*	21
意思	yìsi	*n.*	2
印象	yìnxiàng	*n.*	23
营业	yíngyè	*v.*	16
硬卧	yìngwò	*n.*	17
硬座	yìngzuò	*n.*	17
用品	yòngpǐn	*n.*	22
优美	yōuměi	*adj.*	3
由	yóu	*prep.*	15
有用	yǒuyòng	*adj.*	2
鱼	yú	*n.*	13
娱乐	yúlè	*v.*	12
愉快	yúkuài	*adj.*	23
预订	yùdìng	*v.*	16
遇到	yùdào		23
员	yuán	*suf.*	4
原来	yuánlái	*n.*	6
愿望	yuànwàng	*n.*	23
愿意	yuànyì	*aux.*	3
约	yuē	*v.*	10
越来越	yuè lái yuè		3
越……越……	yuè……yuè……	*adv.*	7
运动会	yùndònghuì	*n.*	2

Z

再	zài	*adv.*	14
早	zǎo	*adj.*	2
早餐	zǎocān	*n.*	16
怎么	zěnme	*pron.*	9
站	zhàn	*v.*	8
长	zhǎng	*v.*	5
招待	zhāodài	*v.*	23
着	zháo	*v.*	9
着急	zháojí	*adj.*	16
找	zhǎo	*v.*	17
照顾	zhàogu	*v.*	11
着	zhe	*part.*	8
争取	zhēngqǔ	*v.*	23
整理	zhěnglǐ	*v.*	22
正	zhèng	*adv.*	3
正常	zhèngcháng	*adj.*	21
正好	zhènghǎo	*adj.*	16
只	zhī	*m.*	12
值得	zhídé	*v.*	18
只	zhǐ	*adv.*	12
只好	zhǐhǎo	*adv.*	9
只要	zhǐyào	*conj.*	19
志愿者	zhìyuànzhě	*n.*	20
中间	zhōngjiān	*n.*	5
中心	zhōngxīn	*n.*	10
周围	zhōuwéi	*n.*	23
主管	zhǔguǎn	*n.*	19
主要	zhǔyào	*adj.*	17
住宿	zhùsù	*v.*	17
住院	zhùyuàn	*v.*	11
祝	zhù	*v.*	19
抓紧	zhuājǐn	*v.*	16
专门	zhuānmén	*adv.*	8

专业	zhuānyè	*n.*	19
转告	zhuǎngào	*v.*	11
转让	zhuǎnràng	*v.*	22
转	zhuàn	*v.*	1
撞	zhuàng	*v.*	11
资料	zīliào	*n.*	15
自学	zìxué	*v.*	23
字幕	zìmù	*n.*	2
最好	zuìhǎo	*adv.*	5
遵守	zūnshǒu	*v.*	2
做客	zuòkè	*v.*	12

专有名词
Proper Nouns

C	春节联欢晚会	Chūnjié Liánhuān Wǎnhuì	21
D	东坡肉	Dōngpō Ròu	13
G	宫保鸡丁	Gōngbǎo Jīdīng	13
	桂林	Guìlín	17
J	鸡蛋炒西红柿	Jīdàn Chǎo Xīhóngshì	13
	剑桥大学	Jiànqiáo Dàxué	5
	经贸大学	Jīngmào Dàxué	7
L	漓江	Lí Jiāng	18
	丽江	Lìjiāng	18
M	麻婆豆腐	Mápó Dòufu	13
O	欧洲	Ōu Zhōu	21
W	外语学院	Wàiyǔ Xuéyuàn	10
	吴	Wú	11
X	新加坡	Xīnjiāpō	5
Y	鱼香肉丝	Yúxiāng Ròusī	13
	云南	Yúnnán	17

“语音练习”词语表
Words in Pronunciation Exercises

	词语	拼音	课
A	矮	ǎi	6
	安静	ānjìng	6
B	把	bǎ	13
	保险	bǎoxiǎn	17
	北方	běifāng	18
	冰	bīng	21
	不像话	bú xiànghuà	9
C	草	cǎo	5
D	单人间	dānrénjiān	16
	刀	dāo	22
	电	diàn	20
	订	dìng	7
E	饿	è	15
F	肥	féi	3
	封	fēng	1
	符合	fúhé	22
G	狗	gǒu	12
	光盘	guāngpán	4
H	汉堡	hànbǎo	13
	河	hé	7
	红	hóng	6
	花	huā	14
	画儿	huàr	5
	话	huà	4
	坏处	huàichu	4
J	计划	jìhuà	14
	句	jù	4
	决定	juédìng	10
K	咳嗽	késou	11
	渴	kě	15
	客人	kèrén	23
	裤子	kùzi	7
L	劳驾	láojià	22
	礼物	lǐwù	2
	练习	liànxí	17
	粮食	liángshi	20
M	猫	māo	12
	帽子	màozi	18
	明年	míngnián	19
N	那里	nàlǐ	1
	难过	nánguò	16
P	胖	pàng	3
	票	piào	2
Q	钱包	qiánbāo	20
	清楚	qīngchu	9
	情况	qíngkuàng	10
	请客	qǐngkè	14
	全	quán	11
R	认为	rènwéi	21
	认真	rènzhēn	18
S	嗓子	sǎngzi	11
	生气	shēngqì	14
	声（音）	shēng(yīn)	8
	实在	shízài	23
	手表	shǒubiǎo	15
	手套	shǒutào	18
	瘦	shòu	3
	书包	shūbāo	6
	薯条	shǔtiáo	13
	树	shù	5
	双	shuāng	12
	死	sǐ	11

本册谚语索引
Index to Proverbs in This Book

《发展汉语》（第二版）

基本使用信息

教　材	适用水平	每册课数	每课建议课时	每册建议总课时
初级综合（Ⅰ）	零起点及初学阶段	30课	5课时	150-160
初级综合（Ⅱ）		25课	6课时	150-160
中级综合（Ⅰ）	已掌握2000-2500词汇量	15课	6课时	90-100
中级综合（Ⅱ）		15课	6课时	90-100
高级综合（Ⅰ）	已掌握3500-4000词汇量	15课	6课时	90-100
高级综合（Ⅱ）		15课	6课时	90-100
初级口语（Ⅰ）	零起点及初学阶段	23课	4课时	92-100
初级口语（Ⅱ）		23课	4课时	92-100
中级口语（Ⅰ）	已掌握2000-2500词汇量	15课	6课时	90-100
中级口语（Ⅱ）		15课	6课时	90-100
高级口语（Ⅰ）	已掌握3500-4000词汇量	15课	4课时	60-70
高级口语（Ⅱ）		15课	4课时	60-70
初级听力（Ⅰ）	零起点及初学阶段	30课	2课时	60-70
初级听力（Ⅱ）		30课	2课时	60-70
中级听力（Ⅰ）	已掌握2000-2500词汇量	30课	2课时	60-70
中级听力（Ⅱ）		30课	2课时	60-70
高级听力（Ⅰ）	已掌握3500-4000词汇量	30课	2课时	60-70
高级听力（Ⅱ）		30课	2课时	60-70
初级读写（Ⅰ）	零起点及初学阶段	15课	2课时	30-40
初级读写（Ⅱ）		15课	2课时	30-40
中级阅读（Ⅰ）	已掌握2000-2500词汇量	15课	2课时	30-40
中级阅读（Ⅱ）		15课	2课时	30-40
高级阅读（Ⅰ）	已掌握3500-4000词汇量	15课	2课时	30-40
高级阅读（Ⅱ）		15课	2课时	30-40
中级写作（Ⅰ）	已掌握2000-2500词汇量	15课	2课时	30-40
中级写作（Ⅱ）		15课	2课时	30-40
高级写作（Ⅰ）	已掌握3500-4000词汇量	12课	2课时	30-40
高级写作（Ⅱ）		12课	2课时	30-40

发展汉语 Developing Chinese 第二版 2nd Edition

综 合

初级综合（Ⅰ）含1MP3	ISBN 978-7-5619-3076-2	79.00元
初级综合（Ⅱ）含1MP3	ISBN 978-7-5619-3077-9	75.00元
中级综合（Ⅰ）含1MP3	ISBN 978-7-5619-3089-2	56.00元
中级综合（Ⅱ）含1MP3	ISBN 978-7-5619-3239-1	60.00元
高级综合（Ⅰ）含1MP3	ISBN 978-7-5619-3133-2	55.00元
高级综合（Ⅱ）含1MP3	ISBN 978-7-5619-3251-3	60.00元

口 语

初级口语（Ⅰ）含1MP3	ISBN 978-7-5619-3247-6	65.00元
初级口语（Ⅱ）含1MP3	ISBN 978-7-5619-3298-8	74.00元
中级口语（Ⅰ）含1MP3	ISBN 978-7-5619-3068-7	56.00元
中级口语（Ⅱ）含1MP3	ISBN 978-7-5619-3069-4	52.00元
高级口语（Ⅰ）含1MP3	ISBN 978-7-5619-3147-9	58.00元
高级口语（Ⅱ）含1MP3	ISBN 978-7-5619-3071-7	56.00元

听 力

“练习与活动”＋“文本与答案”

初级听力（Ⅰ）含1MP3	ISBN 978-7-5619-3063-2	79.00元
初级听力（Ⅱ）含1MP3	ISBN 978-7-5619-3014-4	68.00元
中级听力（Ⅰ）含1MP3	ISBN 978-7-5619-3064-9	62.00元
中级听力（Ⅱ）含1MP3	ISBN 978-7-5619-2577-5	70.00元
高级听力（Ⅰ）含1MP3	ISBN 978-7-5619-3070-0	68.00元
高级听力（Ⅱ）含1MP3	ISBN 978-7-5619-3079-3	70.00元

读 写

- 初级读写（Ⅰ）含1MP3
  ISBN 978-7-5619-3360-2 32.00 元
- 初级读写（Ⅱ）含1MP3
  ISBN 978-7-5619-3461-6 32.00 元

阅 读

- 中级阅读（Ⅰ）
  ISBN 978-7-5619-3123-3 29.00 元
- 中级阅读（Ⅱ）
  ISBN 978-7-5619-3197-4 29.00 元
- 高级阅读（Ⅰ）
  ISBN 978-7-5619-3080-9 32.00 元
- 高级阅读（Ⅱ）
  ISBN 978-7-5619-3084-7 35.00 元

写 作

- 中级写作（Ⅰ）
  ISBN 978-7-5619-3286-5 35.00 元
- 中级写作（Ⅱ）
  ISBN 978-7-5619-3287-2 39.00 元
- 高级写作（Ⅰ）
  ISBN 978-7-5619-3361-9 29.00 元
- 高级写作（Ⅱ）
  ISBN 978-7-5619-3269-8 29.00 元

© 2012 北京语言大学出版社，社图号 12079

图书在版编目（CIP）数据

初级口语．2 / 王淑红等编著．— 2 版．— 北京：北京语言大学出版社，2012.6（2017.5 重印）

（发展汉语）

ISBN 978-7-5619-3298-8

Ⅰ．①初…　Ⅱ．①王…　Ⅲ．①汉语－口语－对外汉语教学－教材　Ⅳ．① H195.4

中国版本图书馆 CIP 数据核字（2012）第 118591 号

发展汉语（第二版）初级口语（Ⅱ）

FAZHAN HANYU (DI-ER BAN) CHUJI KOUYU (II)

排版制作：北京创艺涵文化发展有限公司
责任印制：周　燚

出版发行：北京语言大学出版社
社　　址：北京市海淀区学院路 15 号，100083
网　　址：www.blcup.com
电子信箱：service@blcup.com
电　　话：编辑部　　8610-82303647/3592/3395
　　　　　国内发行　8610-82303650/3591/3648
　　　　　海外发行　8610-82303365/3080/3668
　　　　　北语书店　8610-82303653
　　　　　网购咨询　8610-82303908
印　　刷：北京中科印刷有限公司

版　　次：2012 年 7 月第 2 版　　　印　　次：2017 年 5 月第 9 次印刷
开　　本：889 毫米 × 1194 毫米　1/16　　　印　　张：19.5
字　　数：333 千字
定　　价：74.00 元

PRINTED IN CHINA